КЛАСС!ное

Дмитрий Емец

ПОДВИГ
ВО ИМЯ ЛЮБВИ

Рассказы для детей

Книга для чтения с заданиями
для изучающих русский язык как иностранный

B1

РУССКИЙ ЯЗЫК
КУРСЫ

МОСКВА
2018

УДК 811.161.1
ББК 81.2 Рус-96
Е60

Адаптация текста, комментарий: *Еремина Н.А.*
Задания: *Старовойтова И.А.*

Емец, Дмитрий

Е60   Подвиг во имя любви. Рассказы для детей: Книга для чтения с заданиями / Дмитрий Емец. — М.: Русский язык. Курсы, 2018. — 136 с. — (Серия «КЛАСС!ное чтение»).

ISBN 978-5-88337-638-1

В данном издании представлены рассказы современного писателя Дмитрия Емца.

Это весёлые и грустные истории о приключениях современных школьников. Читатель узнает о настоящей дружбе и смелости, а также о необыкновенных событиях, участниками которых оказались герои рассказов.

Книга понравится и детям, и взрослым.

Текст рассказов адаптирован (В1), сопровождается комментарием, заданиями на понимание прочитанного и на развитие речи. В книге приводятся наиболее интересные факты из жизни Дмитрия Емца.

УДК 811.161.1
ББК 81.2 Рус-96

В оформлении обложки использован рисунок Т.А. Ляхович

Содержание

Предисловие

Эта книга включена в серию «КЛАСС!ное чтение». В серию вошли произведения русских классиков, а также известных современных писателей. Тексты произведений адаптированы с расчётом на разные уровни обучения РКИ (А1, А2, В1, В2, С1).

В данном издании представлены рассказы для детей современного писателя Дмитрия Емца.

Это весёлые и грустные истории о приключениях современных школьников. Читатель узнает о настоящей дружбе и смелости, а также о необыкновенных событиях, участниками которых оказались герои рассказов.

Книга понравится и детям, и взрослым.

В биографии приводятся наиболее интересные факты из жизни Дмитрия Емца. Текст рассказов адаптирован (В1). Перед текстом помещён список слов, значение которых можно проверить в словаре (если они вам незнакомы). После произведения дан комментарий (в тексте обозначен *), а также предлагаются вопросы и тестовые задания на понимание прочитанного, на развитие речи и задания, помогающие повторить грамматические формы, актуальные для данного уровня обучения.

Издание адресовано детям соотечественников, проживающим за рубежом, детям-билингвам, а также учащимся национальных школ.

Эта книга будет полезна всем, кто хочет совершенствовать свой русский язык.

Дмитрий Емец

Дмитрий Емец родился в 1974 году. До семи лет жил на Камчатке*, в посёлке Елизово возле аэропорта. Его отец работал в аэропорту. В школу пошёл уже в Москве, куда переехала его семья. Мать — журналист, поэт и писатель. Работала много лет в журнале «Литературная учёба». Отвечала за отдел публицистики. Дмитрий помнит, как она ночами работала на печатной машинке, когда утром ей надо было срочно сдавать статью в номер. Отец работал в министерстве электронной промышленности. Дмитрий Емец считает, что от мамы он унаследовал литературные способности, а от папы — здравый подход к жизни.

В человеческом плане на Дмитрия сильнее всего повлияла бабушка Наташа. Она воспитала его и умерла за неделю до восемнадцатилетия внука. Как эстафету передала его взрослой жизни.

Окончив школу, Дмитрий поступил в Московский университет им. Ломоносова на филологический факультет. Специализация — история русской литературы. После защитил кандидатскую диссертацию* по истории русской литературы последней трети девятнадцатого века. Изучал вопросы отличия литературы для детей и литературы о детях.

Когда учился на третьем курсе, у него появился первый компьютер. Это был 1993 год. Почти сразу компьютер победил печатную машинку. Вначале на компьютере создавались научные статьи, а потом появилось желание написать что-то весёлое.

Хотелось читать детские книги, но те книги, которые хотелось читать, не всегда можно было найти. Поэтому стал писать сам.

Так родилась фантастическая повесть «Дракончик Пыхалка» — история маленького дракончика, который потерял маму, ел красный перец в стручках и дышал огнём. Сюжет книги очень простой. Она детская и одновременно не детская. Потом были книги «Приключения домовят», «Властелин Пыли» и «Кусалки» — для детей младшего возраста. Дмитрий Емец в 22 года стал самым молодым членом Союза писателей. Он издаёт большой блок юмористической фантастики: сериалы о «Тане Гроттер», «Мефодии Буслаеве» и «ШНыр» — «Школа ныряльщиков». Это три самых больших проекта Дмитрия Емца, особенно «Мефодий Буслаев». В этом сериале, относящемся к жанру городского фэнтези*, 19 книг.

В последние годы появились его книги «Древняя Русь» и реалистические рассказы из жизни многодетной семьи — «Бунт пупсиков», «День карапузов» и «Таинственный Ктототам». В произведениях Дмитрия Емца всегда интересный сюжет и много юмора. Его книги читают не только дети, но и взрослые. Сам автор говорит, что реальный возраст его читателя от 11 до 60 лет.

У писателя семеро детей, и история его семьи часто бывает похожа на историю героев его произведений.

Дмитрий Емец — известный российский писатель-фантаст, автор 30 книг. По его книгам издаются аудиокниги и компьютерные игры.

Если эти слова (в тексте они выделены) вам незнакомы, посмотрите их значение в словаре.

Архео́лог

Берло́га
бестолко́вый
бо́дро

Воро́на
встряхну́ть
выжива́ние
высле́живать

Догоня́ть
дрессирова́ть
дробь
дрова́
дрожа́щий

Жа́лобно
же́ртва

Заблуди́ться
завизжа́ть, визжа́ть
задра́ть, драть

Искра

Капри́зно
клад
ковыря́ться
коза́

ко́мпас
костёр

Леге́нда

Мелькну́ть
мише́нь
му́читься
мыши́ный, мышь

Натере́ть
нора́

Охо́титься

Пала́тка
па́ника
патро́н
перезаряди́ть
перспекти́ва
погна́ться, гна́ться
подозри́тельно
покале́чить
попа́сть
постреля́ть
потре́скиванье
похо́д
презре́ние
проворча́ть, ворча́ть

прокля́тый
промахну́ться
пуга́ть

Разочаро́ванно

Се́кция
сна́йпер
сокро́вища
сопе́ние
споткну́ться

Тропи́нка

Утащи́ть

Фля́жка

Хво́рост
хи́щник

Це́литься

Червь, червя́к

Шала́ш

Ужа́сная ночь

В сентябре́ учи́тель физкульту́ры Андре́й Ти́хонович реши́л организова́ть в шко́ле *се́кцию тури́зма*.

— Внима́ние, 7 «А»*! Это да́же не се́кция тури́зма, э́то шко́ла *выжива́ния* в есте́ственных усло́виях! — с интере́сом расска́зывал он на уро́ке. — Мы бу́дем ходи́ть в *похо́ды* в лес, ночева́ть в *пала́тках*, разводи́ть *костры́*, печь карто́шку. Бу́дем учи́ться находи́ть доро́гу с *ко́мпасом* и без ко́мпаса, стро́ить *шалаши́*, *охо́титься*!

— Как э́то мы бу́дем охо́титься? Нам ору́жие вы́дадут? — стал спра́шивать Анто́н Дани́лов.

— Ору́жия нам не даду́т, но у нас бу́дет моя́ *двуство́лка**. Возмо́жно, я кому́-нибудь дам из неё *постреля́ть*, разуме́ется, при соблюде́нии мер безопа́сности... — пообеща́л Андре́й Ти́хонович.

Перспекти́вы бы́ли таки́ми интере́сными, что Фи́лька Хитро́в, Ко́ля Его́ров, Пе́тька Мокре́нко и Анто́н Дани́лов сра́зу записа́лись в се́кцию.

— Вот и отли́чно, я всегда́ знал, что вы настоя́щие мужчи́ны! — Андре́й Ти́хонович кре́пко пожа́л ка́ждому из них ру́ку.

— Мы то́же хоти́м ходи́ть в похо́ды! Нам мо́жно? — спроси́ли Ка́тя Сундуко́ва и Аня Ивано́ва.

— Нельзя́! Девчо́нок не брать, они́ бу́дут то́лько меша́ть и проси́ться к ма́мочке! — закрича́л Пе́тька Мокре́нко.

— Кого́ брать и кого́ не брать, я сам решу́! — сказа́л Андре́й Ти́хонович и записа́л Ка́тю с Аней в се́кцию.

— А когда́ пе́рвый похо́д? — спроси́л Фи́лька Хитро́в.

— Похо́д бу́дет в суббо́ту. Собира́емся у шко́лы в шесть утра́! Возьми́те с собо́й то́лько са́мое необходи́мое. Ска́жете роди́телям, что вернёмся мы в воскресе́нье ве́чером.

— В воскресе́нье че́рез ско́лько неде́ль? — уточни́л Ко́ля, реши́вший почему́-то, что они́ ухо́дят в лес почти́ на ме́сяц.

— В воскресе́нье на друго́й день. Пе́рвый похо́д бу́дет то́лько с одно́й ночёвкой. Ко всему́ на́до привыка́ть постепе́нно, — сказа́л Андре́й Ти́хонович.

В суббо́ту ра́но у́тром на шко́льный двор ста́ли приходи́ть уча́стники похо́да. Пе́рвым прибежа́л Ко́ля, кото́рый, боя́сь опозда́ть, поста́вил себе́ буди́льник на четы́ре часа́ утра́ и уже́ в пять был у шко́лы. В полови́не шесто́го яви́лся Пе́тька Мокре́нко, жуя́ на ходу́ большо́й бутербро́д с колбасо́й.

— Что́бы ме́ньше нести́, — объясни́л он Ко́ле.

Фи́лька Хитро́в и Аня Ивано́ва пришли́ без пятна́дцати шесть. Аня вела́ на поводке́ Мухта́ра — большо́го *бестолко́вого кобеля́* неме́цкой овча́рки*. Мухта́р не понима́л, куда́ они́ иду́т, но всё равно́ ра́довался и крути́лся на ме́сте.

— Ивано́ва, заче́м соба́ку привела́? — кри́кнул Мокре́нко.

— Что́бы ты спроси́л! — отве́тила Аня.

Ро́вно к шести́ подошла́ обяза́тельная Ка́тя Сундуко́ва и почти́ сра́зу по́сле неё Андре́й Ти́хонович. Учи́тель был в то́лстом сви́тере, с рюкзако́м и двуство́льным ружьём.

— Ну что, все собрали́сь? — *бо́дро* спроси́л он.

— Анто́на Дани́лова нет! — осмотре́вшись, отве́тил Фи́лька.

— Проспа́л, наве́рное. Ла́дно, ждём де́сять мину́т и идём без него́, — сказа́л Андре́й Ти́хонович. Они́ прожда́ли де́сять мину́т, но Анто́н так и не появи́лся. Ду́мая, что он уже́ не придёт, они́ пошли́ к остано́вке авто́буса, что́бы е́хать в сто́рону запове́дного ле́са*, но вдруг ребя́та услы́шали чей-то крик и уви́дели, что Анто́н их *догоня́ет*.

Дани́лов с трудо́м бежа́л под тя́жестью огро́много рюкзака́. Он был в зи́мней ку́ртке с капюшо́ном, из-под кото́рой видны́ бы́ли три сви́тера, в высо́ких сапога́х и в то́лстой вя́заной ша́пке, как бу́дто собра́лся не в лес, а в ту́ндру*. На бегу́ Анто́н всё вре́мя испу́ганно огля́дывался и, когда́ добежа́л до остано́вки, пе́рвым влез в подоше́дший авто́бус.

— Хорошо́, что не догнала́! — обра́довался он, когда́ две́ри авто́буса закры́лись.

— А кто за тобо́й бежа́л? — спроси́ла Аня Ивано́ва.

— Ма́ма. Она́ хоте́ла дать мне ещё шерстяно́е одея́ло с поду́шкой и ко́фту на пу́говицах. Ма́ло мне бу́дто двадцати́ ба́нок тушёнки, кастрю́ли, те́рмоса, спа́льного мешка́, двух бато́нов хле́ба и топора́, и э́то не счита́я вся́кой запасно́й оде́жды, пяти́ пар носко́в и ба́нки с бульо́ном.

— Како́й ба́нки с бульо́ном? — спроси́ла Ка́тя.

— Ясно како́й, трёхлитро́вой, — отве́тил Анто́н и отверну́лся к окну́.

Вско́ре авто́бус останови́лся на краю́ ле́са.

11

Ребя́та вы́шли из него́ и, помаха́в знако́мому шофёру, пошли́ в лес. Пе́рвым по засы́панной листво́й *тропи́нке* шёл Андре́й Ти́хонович, а после́дним, согну́вшись под тя́жестью огро́много рюкзака́, ме́дленно шёл Анто́н Дани́лов.

Пого́да была́ со́лнечная, суха́я, ли́стья то́лько на́чали желте́ть, а в во́здухе чу́вствовалась та я́сность, кака́я быва́ет лишь ра́нней о́сенью. Прогу́лка по ле́су всем, кро́ме нагру́женного Анто́на, доставля́ла удово́льствие. Андре́й Ти́хонович иногда́ поправля́л на плече́ ружьё и внима́тельно огля́дывал траву́: в э́той траве́ он нашёл уже́ два бе́лых гриба́* и оди́н подберёзовик*. Други́е грибы́, ра́зные черну́шки* и свину́шки*, он не брал.

Ко́ля Его́ров всё вре́мя смотре́л на ко́мпас и ва́жно запи́сывал что́-то в блокно́т, очеви́дно, вообража́я себя́ первопрохо́дцем*. Фи́лька разгова́ривал с девчо́нками, а Пе́тька, до э́того до́лго проси́вший ружьё у Андре́я Ти́хоновича, тепе́рь развлека́лся тем, что с кри́ками выска́кивал из-за дере́вьев, стара́ясь кого́-нибудь напуга́ть.

Анто́н вдруг приду́мал, как не нести́ с собо́й ку́чу нену́жных веще́й. Отста́в от остальны́х, он вы́копал под е́лью я́му и положи́л в неё ба́нки тушёнки, колбасу́, бато́н хле́ба, оди́н из паке́тов с бутербро́дами, топо́р, две па́ры запасны́х боти́нок, носки́, спорти́вные штаны́ и кастрю́лю. Тепе́рь из веще́й у Анто́на оста́лись то́лько те́рмос, спа́льный мешо́к, спи́чки и ба́нка с бульо́ном. Дани́лов вы́лил ещё и бульо́н в траву́, а пусту́ю ба́нку забро́сил в кусты́. Засы́пав спря́танные ве́щи ли́стьями и реши́в забра́ть их на обра́тном пути́, Анто́н в са́мом хоро́шем настрое́нии побежа́л догоня́ть ребя́т.

В по́лдень тури́сты устро́или о́тдых.

— Костёр разводи́ть не бу́дем! Перекусим, отдохнём немно́го и в путь! И смотри́те, не жа́дничайте! По́мните, что туристи́ческий стол о́бщий! — сказа́л Андре́й Ти́хонович.

Аня Ивано́ва и Ка́тя расстели́ли на траве́ ска́терть, и все ста́ли выкла́дывать на неё проду́кты, что́бы пото́м че́стно раздели́ть их. В стороне́ от о́бщего стола́ оста́лся то́лько Пе́тька Мокре́нко.

«Я не бу́ду дели́ться! Нашли́ дурака́!» — поду́мал Мокре́нко и, взяв с собо́й паке́т с бутербро́дами, незаме́тно спря́тался за большо́й е́лью.

Пе́тька наде́ялся пое́сть в одино́честве, но не получи́лось. Голо́дный Мухта́р почу́вствовал за́пах колбасы́ и подбежа́л к Пе́тьке. Тот вскочи́л и, крича́, стал убега́ть, держа́ паке́т с бутербро́дами над голово́й.

— Убери́ соба́ку, ду́-ура! — крича́л Ане Мокре́нко, бе́гая ме́жду ёлками.

— Брось ему́ бутербро́д! — крича́ла ему́ Аня.

— Не бро́шу!

В э́тот моме́нт Пе́тька зацепи́лся ного́й за ко́рень и упа́л, а подбежа́вший Мухта́р вы́рвал у него́ паке́т и *утащи́л* куда́-то за ёлки. Верну́лся он то́лько че́рез де́сять мину́т, винова́то виля́я хвосто́м и, разуме́ется, без бутербро́дов.

— Я же крича́ла тебе́: «Брось ему́ бутербро́д», а так он всё съел! — сказа́ла Аня.

— Глу́пый у тебя́ пёс! *Дрессирова́ть* его́ на́до бы́ло! — *проворча́л* Мокре́нко.

— Его́ дрессирова́ли! Он и «сиде́ть», и «лежа́ть» зна́ет! — оби́делась за Мухта́ра Аня. — Про́сто он о́чень лю́бит варёную колбасу́. Мя́со оставля́й хоть на столе́ — не тро́нет, а колбасу́ обяза́тельно ста́щит.

Пое́в, тури́сты продо́лжили свой путь. Дово́льный и сы́тый Мухта́р бежа́л тепе́рь ря́дом с Андре́ем Тихо́новичем, ви́димо, вы́брав его́ свои́м вре́менным хозя́ином, и гро́мко ла́ял на всех *воро́н* и на все *мыши́ные но́ры*. Изре́дка Мухта́р с *презре́нием* огля́дывался на остальны́х, бу́дто жела́я сказа́ть: «Вот мы де́лом занима́емся, охо́тимся, а вы-то тут заче́м?»

— Ты бы лу́чше за́йцев иска́л, чем воро́н *пуга́ть!* — говори́л Мухта́ру Андре́й Тихо́нович, но пёс не понима́л его́ и по-пре́жнему ла́ял на ка́ждую мыши́ную нору́ и на ка́ждую появи́вшуюся в ве́тках *бе́лку*. Ему́ бы́ло всё равно́, за кем охо́титься, ведь ва́жен сам проце́сс.

Ка́тя Сундуко́ва догнала́ физкульту́рника и пошла́ ря́дом с ним.

— А запове́дный лес большо́й? — спроси́ла она́.

— Ты же зна́ешь, что большо́й, — отве́тил Андре́й Тихо́нович.

— И *заблуди́ться* в нём мо́жно?

— Коне́чно!

— Мы не заблу́димся, мы идём по *а́зимуту**! — ва́жно заяви́л Ко́ля Его́ров, пока́зывая ко́мпас.

Ка́тя с недове́рием посмотре́ла на него́.

— Вот сам и иди по азимуту! А я ногу натёрла! — сказала она жалобно.

— Андрей Тихонович, пристрелите её, чтобы не мучилась! — захохотал Антон.

— Катя, хочешь я тебя понесу? — предложил Коля Егоров.

— А ты не уронишь? Давай неси! — не заставляя себя долго упрашивать, Катя забралась к нему на спину и крепко взялась руками за шею.

— Я тоже ногу натёрла! — Аня Иванова капризно повернулась к Фильке, которому, как она знала, нравилась.

Филька со вздохом подставил свою спину, но не успела она забраться на неё, как Коля Егоров, споткнулся и упал вместе с Катей.

— Вообще-то у меня уже не болит нога! Я и сама дойду! — быстро сказала осторожная Аня, увидевшая, что ездить верхом на тринадцатилетних мальчиках опасно для жизни.

К пяти часам туристы вышли на небольшую поляну. Андрей Тихонович посмотрел на уставших ребят и сбросил свой рюкзак в траву.

— Ладно, на сегодня всё. Здесь мы остановимся на ночёвку! — сказал он.

— Ура! — радостно закричали все.

Но отдохнуть получилось не сразу. Филька вместе с Антоном начали ставить палатки, а Коля с Петькой пошли в лес за хворостом и дровами.

В это время Андрей Тихонович решил немного попрактиковаться в стрельбе. Он отошёл на другой конец поляны, поставил на упавшее дерево пустую банку из-под консервов и, отойдя шагов на тридцать, стал *целиться*.

— Бабах! — загрохотало ружьё.

— Недолёт! — сказал Андрей Тихонович.

— Бабах! — загрохотало ружьё второй раз.

— Перелёт! — произнёс Андрей Тихонович.

Услышав выстрелы, из леса выскочили Петька с Колей. Коля держал в руке топор.

— Где они? — закричал он.

— Кто «они»? — удивился учитель.

— Бандиты!

— Нет тут никаких бандитов!

— Да?.. А я думал, на вас напали! — разочарованно сказал Коля.

Петька *подозрительно* посмотрел на ружьё в руках Андрея Тихоновича.

— Вы куда стреляли? — спросил он.

— В *мишень*!

— И *попали*?

Физкультурник промолчал, но ему помогла Анька Иванова.

— Конечно, попал! Я сама видела! Знаете, как Андрей Тихонович стреляет! Почти не целясь, как *снайпер*!

Услышав это подтверждение меткой стрельбе учителя, все посмотрели на Андрея Тихоновича с уважением, а тому осталось только скромно пожать плечами. Вспомнив о своём обещании, он разрешил ребятам выстрелить по одному разу. Мальчишки хохотали над неудачами тех, кто стрелял до них, но никто так и не смог сбить банку.

— Я всего́ на миллиме́тр *промахну́лся*! Вот так вот ря́дом пролете́ло! — утвержда́л Ко́ля.

Андре́й Ти́хонович *перезаряди́л* ружьё и переда́л его́ де́вочкам.

— Напра́сный перево́д *патро́нов*! — заяви́л Пе́тька Мокре́нко.

— Это мы сейча́с уви́дим! — Аня Ивано́ва до́лго прице́ливалась, пото́м закры́ла глаза́ и вы́стрелила.

— Ха! Ми́мо! — воскли́кнул Анто́н и, наблюда́я, как ружьё перехо́дит к Ка́те, доба́вил: — Уж е́сли э́та попадёт, я гото́в дождево́го *червя́* съесть!

Ка́тя делови́то взяла́ ружьё и, покрути́в его́ в рука́х, спроси́ла:

— Куда́ нажима́ть?

— Вот сюда́! — насме́шливо объясни́л Анто́н.

Ка́тя нажа́ла на *куро́к*. Проби́тая *дро́бью* сра́зу во мно́гих места́х, ба́нка с гро́хотом слете́ла с де́рева. Андре́й Ти́хонович удиви́лся.

— Я попа́ла! Попа́ла! — закрича́ла Ка́тя, а Фи́лька Хитро́в взял па́лку и, ни сло́ва не говоря́, стал *ковыря́ться* в земле́.

— Ты что де́лаешь? — с подозре́нием спроси́л Анто́н.

— Дождево́го червя́ ищу́! Кто́-то, по-мо́ему, обеща́л его́ съесть? — объясни́л Хитро́в.

К тому́ вре́мени, как в лесу́ стемне́ло, на поля́не уже́ горе́л весёлый костёр, а в стороне́, чтобы их не прожгли́ *и́скры*, стоя́ли три пала́тки: одна́ больша́я четырёхме́стная — для мальчи́шек, двухме́стная — для Ани с Ка́тей и одноме́стная — для Андре́я Ти́хоновича.

Проголода́вшиеся тури́сты с удово́льствием е́ли подгоре́вшую печёную карто́шку и па́хнущий костро́м суп, пригото́вленный де́вочками.

По́сле у́жина все ещё до́лго сиде́ли у костра́ и расска́зывали друг дру́гу стра́шные исто́рии.

— А вообще́-то здесь в лесу́ медве́ди есть, не говоря́ уже́ о волка́х, — вдруг серьёзно сказа́л Андре́й Ти́хонович.

— Каки́е медве́ди, живы́е? — удиви́лась Анька Ивано́ва.

— Не мёртвые же! — заяви́л Ко́ля Его́ров. — Мне оте́ц исто́рию расска́зывал, как на одного́ его́ знако́мого напа́л медве́дь. А друго́й его́ знако́мый, то́же охо́тник, провали́лся зимо́й в медве́жью *берло́гу*.

— И что? Медве́дь его́ *покале́чил*?

— Нет. Он успе́л вы́лезти, пока́ медве́дь ещё не просну́лся, и бы́стро убежа́л.

— Про э́тот слу́чай я не слы́шал, но медве́ди действи́тельно иногда́ напада́ют на люде́й, — подтверди́л Андре́й Ти́хонович. Зевну́в, он отвинти́л кры́шку пло́ской солда́тской *фля́жки* и сде́лал не́сколько глотко́в.

— Что э́то у вас? — спроси́л любопы́тный Пе́тька.

— Э́то лека́рство. Снотво́рное. Мне врач прописа́л, — объясни́л Андре́й Ти́хонович, вытира́я гу́бы.

Ребя́та ещё не́которое вре́мя поговори́ли о медве́дях и вообще́ о *хи́щниках*, а пото́м разошли́сь по пала́ткам. Андре́й Ти́хонович отпра́вился в свою́ пала́тку, зале́з в спа́льный мешо́к и вско́ре засну́л, а ребя́та не спа́ли и продолжа́ли расска́зывать друг дру́гу стра́шные исто́рии. Фи́лька рассказа́л про гроб на колёсиках, Ко́ля Его́ров — про *про́клятые кла́ды* и про мертвецо́в, Пе́тька — про крова́вую ру́ку, а Анто́н — про живо́тных-людое́дов, кото́рые месяца́ми мо́гут *выслеживать свои жертвы.*

— Ла́дно! — сказа́л наконе́ц Ко́ля, зева́я. — Дава́йте спать!

Ребя́та ста́ли забира́ться в спа́льные мешки́, как вдруг снару́жи, со стороны́ ле́са, они́ услы́шали како́й-то звук.

— Что э́то? — испу́ганно спроси́л Пе́тька.

— Не зна́ю! — прошепта́л Фи́лька.

Звук повтори́лся, на э́тот раз бли́же.

— Мо́жет, пти́ца? — спроси́л Анто́н.

— Да, пти́ца… Ты слы́шал, как ве́тки под ла́пами треща́т? — сказа́л Ко́ля Его́ров.

— Тшш! Ка́жется, всё сти́хло! — прошепта́л Фи́лька.

Ребя́та вы́брались из спа́льных мешко́в и ста́ли вслу́шиваться в тишину́. Не́сколько мину́т всё бы́ло ти́хо, а пото́м со стороны́ костра́ раздало́сь како́е-то *потре́скиванье* и тако́й звук, бу́дто кру́пное живо́тное *встряхну́ло* голово́й.

— Опя́ть! Уже́ совсе́м бли́зко! На́до ему́ кого́-нибудь одного́ вы́кинуть, что́бы он всех не съел! — прошепта́л Пе́тька, хвата́я Анто́на за плечо́.

Ко́ля осторо́жно вы́глянул из пала́тки. Ему́ показа́лось, что на фо́не затуха́ющего костра́ *мелькну́ло* что-то тёмное и скры́лось за ближа́йшим кусто́м.

— Ты ви́дел? — прошепта́л он Фи́льке.

— Ви́дел!

— Как ты ду́маешь, кто э́то?

— Наве́рное, медве́дь-людое́д! — *дрожа́щим* го́лосом отве́тил Фи́лька. — Круга́ми хо́дит! Ждёт моме́нта, что́бы напа́сть!

— И что нам тепе́рь де́лать? — спроси́л Анто́н.

— План просто́й! На́до разбуди́ть де́вочек! — Ко́ля Его́ров бы́стро вы́лез из пала́тки. Фи́лька Хитро́в попо́лз за ним, а в пала́тке оста́лись то́лько Анто́н с Пе́тькой.

— Пошли́ за ни́ми! — предложи́л Анто́н.

— Нет! Я в пала́тке оста́нусь! — отказа́лся Мокре́нко.

— Тогда́ и я оста́нусь! — сказа́л Анто́н. Он уже́ жале́л, что спря́тал свой топо́р вме́сте с остальны́ми тяжёлыми веща́ми.

Они́ не́которое вре́мя просиде́ли в пала́тке, стара́ясь быть пода́льше от её вхо́да, как вдруг хри́плое дыха́ние раздало́сь где́-то совсе́м бли́зко, и одна́ из сте́нок пала́тки промя́лась, бу́дто бы в неё ткну́лась чья́-то мо́рда.

— А-а! Напада́ет! Карау́л! — закрича́ли они́ и бро́сились из пала́тки.

Заскочи́в в сосе́днюю пала́тку к девчо́нкам, они́ ста́ли крича́ть.

— Оно́ там! Бежи́т за на́ми! Спаса́йтесь! — кри́кнул Анто́н.

Аня гро́мко *завизжа́ла*.

— Бу́дем защища́ться! Гла́вное, не впусти́ть его́ внутрь! — Ко́ля схвати́л туристи́ческий топо́рик и встал у входа. Рядом с ним встали Антон, Петька и Филька.

— Где твой Мухтар? — спросил Филька у Ани.

— Он спит, — сказала Аня.

— Как спит?

— А так спит. Он переел, а когда он переедает, его невозможно разбудить.

— Хороший защитник! — хихикнул Петька.

Это была ужасная ночь: тёмная и безлунная. Ребята сидели в палатке и слушали, как вокруг ходит и дышит неизвестный зверь.

— Надо бежать к Андрею Тихоновичу и разбудить его! Пусть возьмёт ружьё! — сказала Катя Сундукова.

— Вот сама и беги! Разве медведю что-то дробью сделаешь, он от неё только ещё больше разозлится! — отозвался Антон.

— Без *паники*, Данилов! Никто никуда не побежит! — заявил Филька.

Не выходя из палатки, ребята несколько раз начинали громко кричать, стараясь разбудить Андрея Тихоновича, но тот продолжал крепко спать, ничего не слыша из спального мешка.

За ночь никто из ребят не уснул: все, кроме девчонок, по очереди дежурили у входа, крепко сжимая туристический топорик.

Наконец под утро, когда небо начало уже светлеть, из своей палатки появился Андрей Тихонович. Он подошёл к костру и посмотрел на погасшие угли.

Филька, дежуривший у входа в палатку, замахал руками и зашипел, стараясь незаметно привлечь внимание учителя, но Андрей Тихонович лишь удивлённо взглянул на него.

— Не ходите туда! Там медведь! Осторожно! — громко закричал Филька, услышав, что *сопение* с другой стороны палатки усиливается.

— Медведь? — удивился учитель. — Где?

— Да там, сзади палатки! Не ходите туда! Нет! — закричал Филька.

Но было уже поздно. Андрей Тихонович обошёл палатку, посмотрел на что-то и вдруг расхохотался.

Набравшись смелости, Филька и Коля выглянули из-за его спины и тоже стали хохотать. За палаткой стояла большая чёрная *коза* с висевшим у неё на шее куском верёвки. Коза подняла голову и издала тот самый звук, который так пугал ребят ночью.

— Вот мы дураки! Откуда она здесь появилась? — спросила Катя.

— Не знаю, потерялась, наверное! Надо её поймать и отвести хозяевам! — сказал Коля и погнался за козой. Рядом с ним, стараясь ударить козу веткой, бежал Петька.

— Я тебе покажу, как нас ночью пугать! — кричал он.

Неожиданно деревьев стало меньше, и ребята выбежали к шоссе, с другой стороны которого начиналась деревня. Удивлённые мальчишки остановились, а коза перескочила на другую сторону шоссе и затерялась где-то в деревенских садах.

— Ну и ну! Оказывается, мы сделали круг и вышли к шоссе! — удивился Андрей Тихонович, когда ребята рассказали ему о том, что видели.

Вот так и закончился пе́рвый похо́д. Да, ве́щи Анто́на Дани́лова оста́лись в лесу́. Он пото́м их до́лго иска́л, но так и не нашёл ту высо́кую сосну́, под кото́рой бы́ли спря́таны его́ *сокро́вища*.

— Вот так и рожда́ются *леге́нды* о кла́дах! — сказа́л Фи́лька Хитро́в. — Ничего́, не расстра́ивайся, Дани́лов! Ты не нашёл, зна́чит, *архео́логи* найду́т лет, мо́жет быть, че́рез де́сять ты́сяч!

Если эти слова (в тексте они выделены) вам незнакомы, посмотрите их значение в словаре.

Аккура́тный

Беспоро́дный

Драть
дрессиро́вщик

Капри́зный
кара́сь
крысоло́в

Обруч

Подозре́ние
помо́рщиться, мо́рщиться
поцара́пать, цара́пать

Разня́ть

Стреля́ть

Тарака́ний, тарака́н
трюк

Укра́сть, красть

Шипе́ть

Дрессиро́вщик

Ко́ля Его́ров посмотре́л по телеви́зору выступле́ние Куклачёва — знамени́того *дрессиро́вщика* ко́шек, и ему́ то́же захоте́лось стать дрессиро́вщиком. Так как своего́ кота́ у них не́ было — у ма́мы была́ аллерги́я на коша́чий пух, — то Ко́ля сказа́л всему́ 7 «А» кла́ссу:

— Лю́ди! У меня́ к вам про́сьба! У кого́ есть ко́шки, принеси́те их ко мне в суббо́ту!

— А кото́в то́же приноси́ть? — спроси́л дво́ечник Пе́тька Мокре́нко, изве́стный тем, что всегда́ задава́л идио́тские вопро́сы.

— И кото́в то́же, — подтверди́л Его́ров.

— А заче́м тебе́ на́ши ко́шки? — спроси́ла Ри́тка Само́йлова, у кото́рой был о́чень краси́вый перси́дский кот*, его́ зва́ли Баро́н де Круаза́н.

— Я бу́ду их дрессирова́ть, как Куклачёв. А когда́ вы́дрессирую, бу́ду выступа́ть с ни́ми по всему́ ми́ру, — объясни́л Ко́ля.

— А деньга́ми дели́ться бу́дешь? Хо́чешь на́ших ко́шек про́сто так испо́льзовать, без вся́кой материа́льной компенса́ции? — спроси́л Анто́н Дани́лов.

— Я о деньга́х пока́ не ду́мал. Я, наве́рное, бу́ду беспла́тно выступа́ть! — сказа́л Ко́ля.

— У меня́ то́же вопро́с! Ты на́ших кото́в насовсе́м про́сишь и́ли на вре́мя? — поинтересова́лся Фи́лька Хитро́в.

— На вре́мя. Я с ни́ми бу́ду в выходны́е занима́ться, а ве́чером вы их бу́дете сно́ва домо́й забира́ть.

— Ла́дно, — согласи́лся Фи́лька. — Посмо́трим, что из э́того полу́чится!

В суббо́ту в двухко́мнатной кварти́ре Его́ровых собрало́сь сра́зу не́сколько ко́шек. Хорошо́, что роди́телей не́ было до́ма, ина́че им ста́ло бы пло́хо. На ма́миной поду́шке ва́жно сиде́л Баро́н де Круаза́н. Чёрный с бе́лым кот Тимо́шка, принесённый Фи́лькой, с *подозре́нием* ню́хал што́ры и углы́. На столе́ ря́дом с компью́тером, наблюда́я за всем происходи́вшим в ко́мнате, сиде́л Ва́ська — кру́пный, короткошёрстный кот с проку́шенным у́хом. Это был кот Пе́тьки Мокре́нко, пе́рвый крысоло́в и попроша́йка во всём посёлке.

Диа́на, ма́ленькая *аккура́тная* ко́шечка, принадлежа́вшая Анто́ну Дани́лову, споко́йно пила́ молоко́ из блю́дца.

Са́ми хозя́ева ко́шек стоя́ли в дверя́х ко́мнаты и гото́вились наблюда́ть, как Ко́ля бу́дет дрессирова́ть их пито́мцев.

— *Трюк* пе́рвый! Прыжки́ в *о́бруч*! — торже́ственно произнёс Его́ров.

Он взял о́бруч, поднёс его́ к Баро́ну де Круаза́ну и, показа́в ему́ соси́ску, кри́кнул: «Алле́-ап!» Но вме́сто того́, что́бы пры́гнуть, перси́дский кот соскочи́л с поду́шки и спря́тался под шкаф. Ко́ля мно́го раз крича́л «Алле́-ап!» и разма́хивал о́бручем, но Баро́н де Круаза́н не вы́лез из-под шка́фа. Не интересова́ла его́ и соси́ска: Ко́ля подноси́л её к са́мому но́су Баро́на, а тот то́лько отвора́чивался.

— Он у нас соси́ски не лю́бит. Он то́лько гуси́ную печёнку ест и специа́льные деликате́сные консе́рвы для ко́шек, — сообщи́ла Ри́тка.

26

— Ха! Вот дурак-то! — сказал Петька Мокренко. — А наш Васька даже морковь ест и говяжьи кости. А позавчера поймал крысу и всю её сожрал, кроме лап и хвоста.

— Крыса — это мясо, а оно нужно для мышц! — важно сказал Антон.

— Тьфу! Вы не могли бы о чём-то другом говорить? — *поморщилась* Ритка.

Поняв, что с Бароном де Круазаном у него ничего не получится, Коля Егоров занялся Филькиным котом Тимошкой.

— Трюк второй! — заявил он. — Хождение между ног! Смотри, Тимошка, это очень просто: я делаю шаг, и ты пробегаешь у меня под ногой, делаю ещё шаг, и ты повторяешь то же самое.

Но, несмотря на такое простое объяснение, Тимошка всё равно ничего не понял. Закончив обнюхивать штору, он вспрыгнул на подоконник и стал нюхать горшки с цветами.

— Он ради сосиски ничего не будет делать! Мы его рыбой кормим! — сказал Филька. — Ты сделай бантик из бумаги и попробуй заинтересовать его бантиком.

Коля сделал бантик, привязал его к нитке и, шагая, стал протаскивать его у себя под ногой. Тимошка посмотрел на бантик и продолжал нюхать горшки.

— У него сейчас нет настроения играть. Без настроения он не играет! — сказал Филька.

— Представь, будет у меня выступление. Людей соберётся полный цирк, а твой Тимошка будет безде́льничать. И что я зри́телям скажу́: «Прости́те, уважа́емые зри́тели, но у кота́ нет настрое́ния!» — заяви́л Ко́ля.

— Оста́вь его́ в поко́е! Попро́буй моего́ подрессиру́й! — предложи́л Пе́тька Мокре́нко. — Мой ужа́сно у́мный. У нас сосе́д с рыба́лки верну́лся, живы́х *карасе́й* на балко́не в таз положи́л, а наш Ва́ська по пери́лам перебра́лся и всю ры́бу *укра́л*. Сосе́д заме́тил, вы́скочил, а наш с после́дним карасём в зуба́х на свой балко́н перебежа́л и там карася́ съел.

— А что сосе́д? — спроси́л Анто́н.

— Что он сде́лает? Ме́жду балко́нами загоро́жено, а лезть по пери́лам — упа́сть мо́жно.

Ко́ля вы́катил из-под крова́ти игру́шечный грузови́к.

— Трюк тре́тий! Я его́ сам приду́мал! — го́рдо объяви́л он. — Ну́жно поста́вить пере́дние ла́пы в ку́зов, а за́дними перебира́ть и толка́ть маши́ну вперёд.

Ко́ля поднёс соси́ску к но́су кота́ Ва́ськи, пока́зывая тому́, что он полу́чит, е́сли вы́полнит трюк. Он уже́ хоте́л убра́ть её, как вдруг Ва́ська сде́лал бы́строе движе́ние голово́й, вы́хватил соси́ску из рук у дрессиро́вщика и утащи́л за компью́тер.

— Отда́й! Ты её не зарабо́тал! — крича́л на него́ Ко́ля, но кот то́лько шипе́л.

— Не отда́ст! — уве́ренно сказа́л Мокре́нко. — И ру́ку к нему́ лу́чше не приближа́й, а то *поцара́пает!*

В э́то вре́мя ко́шка Анто́на Дани́лова допила́ всё молоко́ и тепе́рь тро́гала ла́пкой пусто́е блю́дце.

Неожиданно у Коли появилась идея. Он схватил блюдце, налил в него молока и поставил в кузов грузовичка. Кошка немедленно поставила в кузов передние лапы и стала пить молоко. Неустойчивый грузовичок поехал, и Диана, продолжавшая пить молоко, вынуждена была перебирать задними лапами. Если смотреть со стороны, похоже было, что кошка толкает грузовичок.

— Получилось! У меня получилось! — радостно закричал юный дрессировщик.

— Деньги делим пополам! Или нет, не пополам! Мне девяносто процентов, тебе — десять. Кошка ведь моя! — закричал Антон Данилов.

В этот момент грузовичок столкнулся с ножкой стула, под которым сидел Барон де Круазан, и упал. Испуганная Диана бросилась под шкаф. Барон де Круазан, перепугавшийся не меньше, чем она, прыгнул на подоконник и свалил два горшка с цветами. Кот Тимошка, приняв это за нападение, выгнул спину, зашипел и бросился на перса. Вначале коты обменялись ударами передних лап, а потом упали на бок и стали *драть* друг другу животы когтями задних лап. Они скатились с подоконника и продолжали драться уже на полу.

Доевший сосиску кот Васька спрыгнул со стола и принял участие в драке. Теперь уже три кота царапали и кусали друг друга, мяукая при этом дурными голосами.

В драке не принимала участия только Диана, наблюдавшая за всем из-под шкафа.

— Разними́те их! Ва́шим беспоро́дным ко́шкам ничего́ не бу́дет, а моего́ поро́дистого подеру́т! Он никогда́ в жи́зни не дра́лся! — перепуга́лась Ри́тка.

Ко́ля и Фи́лька бро́сились к кота́м и ста́ли их раста́скивать. Но коты́ вырыва́лись и броса́лись друг на дру́га. Наконе́ц Пе́тька Мокре́нко реши́л разли́ть их водо́й. Коты́, шипя́, разбежа́лись по ра́зным угла́м ко́мнаты.

— Ты что сде́лал? Пе́рсов нельзя́ мочи́ть! Если вода́ попадёт ему́ в у́хо, он огло́хнет! — разволнова́лась Ри́тка.

Она́ схвати́ла своего́ Баро́на фон Круаза́на и вы́бежала с ним из ко́мнаты.

— Что́бы я ещё раз согласи́лась принести́ вам своего́ кота́! И не наде́йтесь! — кри́кнула она́.

— На мою́ Диа́ну то́же не рассчи́тывай! Я сам бу́ду её дрессирова́ть и дели́ться ни с кем не собира́юсь! — заяви́л Анто́н и то́же ушёл.

Пе́тька хоте́л оста́ться, но его́ кот Ва́ська воспо́льзовался тем, что входна́я дверь была́ откры́та, убежа́л на ле́стницу.

— Стой! *Стреля́ть* бу́ду! — закрича́л Мокре́нко, броса́ясь за ним.

В ко́мнате оста́лись то́лько Фи́лька Хитро́в с Тимо́шкой и Ко́ля Его́ров.

Ко́ля сел на дива́н.

— Вот и всё! — произнёс он гру́стно.

— Ко́шки — живо́тные для дрессиро́вки сли́шком *капри́зные*, — сказа́л Фи́лька. — Попро́буй кого́-нибудь попро́ще. Кста́ти, я тут неда́вно чита́л про *тарака́ньи* бега́.

— Про каки́е тарака́ньи бега́?

— Бега́ го́ночных тарака́нов, — поясни́л Хит-ро́в. — Их на́ши эмигра́нты ещё сто лет наза́д приду́мали. Берёшь большу́ю коро́бку, внутри́ ста́вишь перегоро́дки и запуска́ешь тарака́нов. Како́й тарака́н пе́рвым придёт к фи́нишу, тот и победи́л.

Ко́ля с сомне́нием посмотре́л на Фи́льку, а пото́м бы́стро схвати́л спи́чечный коробо́к и побежа́л иска́ть тарака́нов.

Если эти слова (в тексте они выделены) вам незнакомы, посмотрите их значение в словаре.

Бегемо́т
Взбеси́ться
ворча́ть
восто́рг
вы́скочить
выть
Дрессиро́вщик
Ёж
Загороди́ть
зарыча́ть
заскули́ть
застрели́ть
затащи́ть
зашипе́ть
Изба́виться
интона́ция
Короткола́пый
Лиса́
лось
Мота́ть
Ненави́деть
неуклю́жий
Обма́нывать
опу́шка
охо́тник
охраня́ть

Перепу́ганный
помо́рщиться
приближа́ться
приключе́ние
принюхиваться
приручи́ть
притро́нуться
прищу́риться
пу́таться

Рассерди́ться
рва́ться
рыча́ть

Сквозня́к
скрыва́ть
скули́ть
смири́ться
совра́ть
соро́ка
спря́таться

Трево́жно
трус

Хихи́кнуть

Черепа́ха

Шевели́ться

Щёлкнуть

Волчо́нок

У Фи́льки Хитро́ва был знако́мый *охо́тник*, дя́дя Же́ня. Ка́к-то в сентябре́, возвраща́ясь из шко́лы, Фи́лька встре́тил его́.

— Здра́вствуйте, дя́дя Же́ня! — кри́кнул он.

— Здра́вствуй! — сказа́л охо́тник и неожи́данно предложи́л: — Хо́чешь я тебе́ волчо́нка подарю́?

Коне́чно, Фи́льке сра́зу ста́ло каза́ться, что он всегда́ мечта́л о волчо́нке.

— Хочу́! — сказа́л он.

— Вот и отли́чно! Пойдём, ты его́ сра́зу же и возьмёшь! — Дя́дя Же́ня я́вно обра́довался, а Фи́лька поду́мал: «Како́й стра́нный челове́к, отдаёт волчо́нка и ещё ра́дуется».

Пока́ они́ шли, охо́тник расска́зывал, что нашёл волчо́нка в лесу́.

— А его́ мать? Вы её *застрели́ли*? — спроси́л Фи́лька.

— Я её вообще́ не ви́дел, — сказа́л дя́дя Же́ня.

Они́ подошли́ к одноэта́жному кирпи́чному до́му. Охо́тник попроси́л Фи́льку подожда́ть, а сам на не́сколько мину́т зашёл в дом и вы́нес ста́рый рюкза́к. В рюкзаке́ кто-то *шевели́лся* и *рыча́л*.

— Мо́жно я посмотрю́? — спроси́л Фи́лька.

— Не на́до, он мо́жет *вы́скочить*! — Дя́дя Же́ня взял его́ за́ руку. — До́ма посмо́тришь! И будь осторо́жнее, а то уку́сит! И когда́ бу́дешь выпуска́ть, наде́нь то́лстую ва́режку!

Фи́льке о́чень хоте́лось поскоре́е оказа́ться у себя́ до́ма и уви́деть волчо́нка. Он схвати́л рюкза́к и стал благодари́ть дя́дю Же́ню.

— Я так счита́ю: никогда́ не по́здно сде́лать дру́гу до́брое де́ло! Мы же с тобо́й друзья́, ве́рно? Но то́лько знай: пода́рки наза́д не возвраща́ют, а то я оби́жусь! — Дя́дя Же́ня ушёл, закры́в за собо́й дверь.

Держа́ рюкза́к пе́ред живото́м, Фи́лька побежа́л че́рез посёлок и уже́ у подъе́зда своего́ до́ма встре́тил Ко́лю Его́рова.

— Ты куда́ бежи́шь? А я к тебе́ иду́! — обра́довался Ко́ля.

— Пошли́ со мной! Не́когда мне с тобо́й разгова́ривать! — кри́кнул на бегу́ Фи́лька и так бы́стро стал поднима́ться по ле́стнице, что Ко́ля догна́л его́ то́лько на площа́дке тре́тьего этажа́. Пра́вой руко́й держа́ рюкза́к, ле́вой Хитро́в иска́л в карма́не ключи́.

— Кто у тебя́ там? Кот? — спроси́л Ко́ля, уви́дев, что рюкза́к шеве́лится.

— Скажи́ ещё *бегемо́т*! — хихи́кнул его́ прия́тель.

— А кто тогда́?

— Волк! — сказа́л Фи́лька, ра́дуясь удивле́нию прия́теля.

— Како́й волк? Настоя́щий?

— А ты ду́мал како́й? Игру́шечный на батаре́йках?

— Тогда́ как он туда́ помести́лся? — спроси́л Его́ров.

— Ты что, совсе́м глу́пый? Сам не понима́ешь, что э́то ма́ленький волчо́нок? — *рассерди́лся* Фи́лька.

Наконец он открыл дверь, и они с Колей вбежали в квартиру. Хитров сразу убедился, что родительские тапочки стоят на полу рядом с вешалкой, и легко вздохнул.

— Хорошо, что никого дома нет! А то начались бы расспросы: откуда да куда, — сказал Филька.

Захлопнув дверь, он поставил рюкзак на пол и осторожно развязал его. Хитров ожидал, что волчонок сразу выскочит, но рюкзак стоял спокойно. Только когда Филька подвинул рюкзак, оттуда выпрыгнул небольшой волчонок с двумя короткими тёмными полосками на морде. Волчонок *спрятался* под стул.

Коля Егоров присел и протянул к нему руку. Волчонок ещё дальше залез под стул. Он поджал хвост, и вдруг *щёлкнул зубами*. Испугавшись, Коля успел отдёрнуть руку.

— Чуть не укусил меня!

— А ты как хотел? Чтобы он вилял хвостиком и говорил: «Гав, гав»? Волк тебе не дворняжка*! — сказал Филька.

— И что ты с ним будешь делать?

— Понятно что. *Приручу*, и будет у меня жить!

— Ты сможешь? Диких животных приручить непросто, — произнёс Коля с таким важным видом, будто сам был *дрессировщиком тигров*.

— А я не сразу. Буду его подкармливать, научу кое-каким командам и стану выводить его на поводке. А когда он вырастет, спорю, он победит любого дога* или бультерьера*!

35

Представив, как от его волка разбегаются все собаки в посёлке, Хитров даже подпрыгнул от *восторга*.

— Родителям ты что скажешь? — спросил более осторожный Коля.

Филька *поморщился*:

— Это главная проблема. Спрятать его от них не получится, а если они сразу узнают, что это волчонок, то не разрешат его держать дома. Я им вначале *совру*, что это щенок, а потом постепенно подготовлю их и скажу правду. К тому времени они уже успеют привыкнуть к нему и разрешат его оставить!

— Ну ты и дипломат*! Всё продумал! — удивился Коля.

Филька пошёл на кухню, вытащил из холодильника небольшой кусок мяса и принёс его в комнату. Волчонок уже не сидел под стулом, наверное, подумал, что это место слишком опасное, и спрятался под кроватью. Зато под стулом на память о нём осталась лужа.

Филька лёг на пол и заглянул под кровать. Волчонок спрятался в самый дальний угол и изучающе смотрел на мальчика. В темноте зрачки у него ярко светились жёлтым светом.

Надев на руку толстую варежку, Филька дал волчонку мясо. Тот не стал брать пищу из рук, но когда мальчик положил мясо на пол, волчонок схватил его и проглотил, не жуя. Филька только удивился, как быстро исчез кусок такого размера.

Ребя́та да́ли волчо́нку ещё не́сколько кусо́чков мя́са. Ничего́ друго́го малы́ш не ел, отказа́лся да́же от соси́ски, а блю́дце с молоко́м проли́л, наступи́в ла́пой на край. Хотя́ Фи́лька его́ и корми́л, волчо́нок всё равно́ относи́лся к нему́ с недове́рием: из своего́ угла́ не выходи́л, а когда́ ма́льчик поднёс ру́ку сли́шком бли́зко, схвати́л ва́режку зуба́ми и стащи́л её с руки́.

— Ничего́, постепе́нно приу́чится, — сказа́л Фи́лька, наблюда́я, как волчо́нок *мота́ет* ва́режку из стороны́ в сто́рону, как бу́дто э́то живо́й враг.

Дово́льный побе́дой над ва́режкой, малы́ш лёг ря́дом с ней и засну́л. Но да́же во сне он тихо́нько рыча́л, е́сли замеча́л како́е-то движе́ние.

— Ла́дно, я пошёл! Я к тебе́ ещё за́втра зайду́, — сказа́л Ко́ля Его́ров, кото́рому надое́ло ждать, пока́ волчо́нок проснётся.

С роди́телями всё получи́лось без осо́бых осложне́ний. Они́ уже́ привы́кли, что сын прино́сит в дом то *еже́й*, то морски́х сви́нок, то *черепа́х*, и не́ были про́тив щенка́. Пра́вда, ма́ма ста́ла, как обы́чно, *ворча́ть*: «Ты да́же за кото́м-то никогда́ не убира́ешь!» — и Фи́льке пришло́сь дава́ть ей три́дцать три че́стных сло́ва, что он сам бу́дет уха́живать за щенко́м.

«Не о́чень-то я тебе́ ве́рю!» — сказа́ла ма́ма и ушла́ на ку́хню.

— Ура́! Па́па, зна́чит, его́ мо́жно оста́вить? — ра́достно закрича́л Фи́лька.

— Посмо́трим! — отве́тил па́па и отпра́вился смотре́ть телеви́зор с газе́той в рука́х.

Это папино «посмотрим» могло означать как «да», так и «нет», но Филька, отлично разбиравшийся в *интонации*, почувствовал, что на этот раз оно ближе к «да».

Так волчонок остался у Хитровых. Малыш быстро рос, но продолжал оставаться диким. Только на пятый день он взял мясо из Филькиной руки: схватил его и резко отпрыгнул, прижав уши и готовясь защищаться. Но мальчик не ударил его и не закричал, и постепенно волчонок стал к нему привыкать. Нужно было дать малышу имя, и Хитров назвал его Чёрные Уши.

Волчонок по-прежнему не давал к себе *притронуться*, но, когда мальчик подходил, он уже не поджимал хвост. Днём Чёрные Уши обычно сидел под кроватью, а ночью решался добежать до батареи или до шкафа.

Однажды утром волчонок пережил первое в своей жизни опасное *приключение*. Уйдя в школу, Филька не закрыл дверь в свою комнату, и Чёрные Уши захотел выглянуть в коридор. Увидев рядом с вешалкой папины резиновые сапоги, которые стояли смирно и не нападали на него, он толкнул один сапог носом.

Сапог покачнулся и упал на волчонка. *Заскулив*, Чёрные Уши, не помня себя от страха, побежал по коридору и оказался на кухне. В кухне на столе сидел белый с чёрным кот. Увидев волчонка, он выгнул спину и *зашипел*, а после спрыгнул со стола и, боком подскочив к волчонку, ударил его лапой.

Чёрные Уши испугался и хотел убежать, но оказалось, что дверь за ним захлопнулась от *сквозняка*. Поняв, что отступать некуда, волчонок *прищурился* и, когда кот снова хотел ударить его лапой, толкнул его мордой и укусил в плечо. Пасть у малыша сразу наполнилась шерстью, и ему стало бы плохо, но кот оказался большим *трусом*. Он отскочил, прыгнул на раковину и начал оттуда шипеть, но больше не нападал.

Поняв, что победил, Чёрные Уши с гордостью отправился под стол. Обнаружив под столом кошачью миску, он съел кусок рыбы и выпил всё молоко.

К концу третьей недели своей жизни у Фильки волчонок заметно вырос. Если раньше он был *коротколапым* и круглым, то теперь лапы у него стали длинными и *неуклюжими*. Своим телом Чёрные Уши управлял ещё плохо, но, вместо того чтобы ходить спокойно, он всё время начинал бежать, *путался* в лапах и падал.

Тогда же Филька впервые решился вывести его на улицу на поводке. Волчонку не нравилось, что какая-то верёвка, привязанная к ошейнику, мешает ему бежать, куда он хочет, и он рычал и даже два раза укусил верёвку, но она не отпускала, и он *смирился*.

На улице Чёрные Уши вообще забыл о верёвке, вокруг него было так много новых звуков, запахов и впечатлений. Мимо проехал грузовик, пролетела *сорока* с длинным хвостом, прошла женщина с сумкой, проехал на трёхколёсном велосипеде ребёнок, из окна напротив звучала громкая музыка.

Испуганный огромным неизвестным миром, Чёрные Уши прижался к ногам мальчика, которые по сравнению со всем окружающим показались ему самыми знакомыми и безопасными.

В первый день прогулки Филька только дважды обошёл с волчонком вокруг дома. Чёрные Уши прижимался животом к земле, старался спрятаться в высокой траве и осторожно прислушивался к каждому незнакомому звуку. Филька смотрел на него, и ему казалось, он понимает, чем волк отличается от собаки: не прямым хвостом, не тёмными полосками на лбу и не другим выражением морды — это всё неважно, главное его отличие — в душе. Собака зависит от человека. Она знает, что хозяин будет заботиться о ней, волк же свободен и ни на кого, кроме себя, не надеется. Именно поэтому так сложно заставить волчонка подчиняться — он сам всегда решает, что ему делать.

Филька уже собирался возвращаться домой, как вдруг из соседнего подъезда вышла его одноклассница Анька Иванова, ведя на поводке Мухтара, крупную немецкую овчарку*. Мухтар обычно относился к Фильке хорошо и вилял ему хвостом. Но сейчас с собакой что-то случилось. Увидев волчонка, огромный пёс *зарычал* и стал *рваться* с поводка. Филька и раньше читал, что обычные собаки *ненавидят* волков, но никогда не понимал почему. Если бы Мухтар *охранял* овец, а Чёрные Уши *крал* их, тогда всё было бы ясно, но Мухтар вырос в посёлке и никогда в жи́зни не ви́дел ове́ц и́ли волко́в — отку́да же появи́лась в нём вдруг не́нависть к ма́ленькому волчо́нку?

— Нельзя́! Фу, фу*! — Однокла́ссница пови́сла на поводке́, но овча́рка не слу́шалась и продолжа́ла вырыва́ться. — Беги́! Я его́ не удержу́! — кри́кнула Анька.

На доро́ге к подъе́зду стоя́л Мухта́р. Тогда́ Хитро́в, не заду́мываясь, схвати́л волчо́нка, вскочи́л на скаме́йку и отту́да перебра́лся на ро́сший ря́дом *клён*. Мухта́р ла́ял внизу́ и цара́пал ствол де́рева когтя́ми, но доста́ть волчо́нка не мог.

Чёрные Уши, не понима́я, заче́м ма́льчик его́ схвати́л, *вцепи́лся* ему́ в па́лец и глубоко́ прокуси́л его́. Фи́лька, не отпуска́я волчо́нка, смог перехвати́ть его́ друго́й руко́й за шки́рку* так, что тот уже́ не мог дотяну́ться до него́ зуба́ми.

— Убери́ Мухта́ра! Скоре́е! — кри́кнул он Аньке.

— Он не убира́ется! Он сильне́е меня́! Мухта́р, фу, фу! — Ивано́ва пыта́лась оттащи́ть соба́ку, но овча́рка была́ сильне́е.

Фи́лька по́нял, что, пока́ Мухта́р ви́дит волчо́нка, он не успоко́ится и не даст им слезть с де́рева.

— Завяжи́ Мухта́ру глаза́ сви́тером! — скома́ндовал он.

Сове́т оказа́лся пра́вильным. Анька сняла́ с себя́ сви́тер, натяну́ла его́ овча́рке на мо́рду и суме́ла *затащи́ть* пса в подъе́зд. Запере́в его́ в кварти́ре, она́ вы́скочила на балко́н. Фи́лька как раз спусти́лся с де́рева и тепе́рь разгля́дывал свой проку́шенный па́лец. У его́ ног, запу́тавшись ла́пой в поводке́, *трево́жно скули́л перепу́ганный волчо́нок.*

— Не пойму́, что случи́лось с Мухта́ром. Он как бу́дто *взбеси́лся!* Никогда́ ра́ньше на щеня́т не броса́лся, а э́того про́сто разорва́ть хоте́л! — кри́кнула све́рху Анька.

Фи́лька хоте́л объясни́ть, что у него́ не щено́к, а волчо́нок, но поду́мал, что крича́ть об э́том на весь дом не ну́жно. Лю́ди встреча́ются ра́зные, и мно́гим волк, да́же и ма́ленький, мо́жет не понра́виться.

— Пойдём, Чёрные Уши! Лу́чше нам посиде́ть до́ма! — сказа́л Фи́лька и за поводо́к потяну́л волчо́нка в подъе́зд.

К зиме́ Чёрные Уши вы́рос, окре́п, грудь у него́ ста́ла широ́кая, и он покры́лся густо́й тёмной ше́рстью. Волчо́нок по-пре́жнему остава́лся ди́ким, не слу́шался никаки́х кома́нд и из всех дома́шних признава́л то́лько Фи́льку, а на остальны́х рыча́л. По ноча́м, е́сли в окне́ была́ видна́ луна́, волчо́нок поднима́л мо́рду, приоткрыва́л пасть и пыта́лся *выть.*

Хотя́ Фи́лька стара́лся гуля́ть с ним то́лько ра́нним у́тром и по́здним ве́чером, ско́ро скрыва́ть, что у него́ волк, а не соба́ка, ста́ло невозмо́жно. Об э́том заговори́ли сосе́ди по до́му.

Но разгово́ры — э́то бы́ло ещё полбеды́, са́мое стра́шное произошло́ по́зже. Одна́жды, когда́ Фи́лька поднима́лся с Чёрными Уша́ми по ле́стнице, сосе́дка сни́зу ста́ла крича́ть на волчо́нка и замахну́лась на него́ па́лкой, а он вцепи́лся ей зуба́ми в шу́бу.

— Убива́ют! Помоги́те! — закрича́ла же́нщина.

Фи́лька оттащи́л Чёрные Уши за поводо́к, а сосе́дка побежа́ла вниз по ле́стнице.

Когда́ на друго́й день ве́чером па́па зашёл к Фи́льке в ко́мнату и мо́лча останови́лся, ма́льчик уже́ по его́ лицу́ по́нял, о чём тот бу́дет говори́ть.

— Ты о Чёрных Уша́х? — винова́то спроси́л Фи́лька.

Оте́ц сел на стул и стро́го посмотре́л на сы́на:

— Ты *обма́нывал* нас, что э́то щено́к. Врать пло́хо, но я ещё могу́ тебя́ поня́ть. Де́ло в друго́м. Сосе́ди по подъе́зду тре́буют, чтобы мы *изба́вились* от него́. Сего́дня днём я встре́тил участко́вого*. Он сказа́л, что, е́сли мы са́ми не увезём волчо́нка, он за́втра вы́зовет ветерина́ра и его́ усыпя́т.

Фи́лька почу́вствовал, как у него́ на глаза́х появля́ются слёзы. Он бро́сился к волчо́нку и *загороди́л* его́:

— Что? Усыпи́ть Чёрные Уши! Я им не разрешу́! Я их сам всех поусыпля́ю!

— Веди́ себя́ как мужчи́на! — стро́го сказа́л оте́ц. — Мы должны́ реши́ть, что нам де́лать с во́лком, е́сли не хоти́м, чтобы его́ уби́ли…

Он стал ходи́ть по ко́мнате, а пото́м, как и его́ сын в тру́дные мину́ты, прижа́лся лбом к холо́дному стеклу́:

— Я предлага́ю увезти́ его́ в го́род и отда́ть в зоопа́рк, хотя́ не уве́рен, что его́ возьму́т. Волк не тако́е ре́дкое живо́тное, и в зоопа́рке его́ мо́гут не взять.

Фи́лька предста́вил, как Чёрные Уши гру́стно сиди́т в кле́тке и ему́ даю́т еду́ в желе́зной ми́ске и бросáют бýлки, и почýвствовал, как у негó в гóрле встаёт ком*. Зоопáрк — э́то тюрьмá для живóтных, а в тюрьмé никомý не мóжет быть хорошó. В ней нет глáвного, без чегó жизнь перестаёт быть жи́знью, а стано́вится проки́сшим киселём, — свобóды.

— Не нáдо зоопáрка! Я отведý его́ в лес, — реши́тельно сказáл Фи́лька.

— В лес зимóй? Он не привы́к забóтиться о себé и мóжет поги́бнуть! — предположи́л отéц.

— Он вы́живет, ведь он волк.

Несмотря́ на то что был уже́ пóздний вéчер, Фи́лька одéлся, пристегнýл к ошéйнику волчóнка поводóк и потянýл его́ к дверя́м. Чёрные Уши довéрчиво пошёл за ним.

— Хóчешь я пойдý с тобóй? — спроси́л отéц.

— Не нáдо, я хочý сам, — не оборáчиваясь, отвéтил сын.

Они́ с волчóнком мéдленно спусти́лись по лéст-нице и вы́шли из подъéзда. Недáвно вы́пал снег, и земля́ казáлась больши́м бéлым пóлем.

Мáльчик и волк вы́шли из посёлка и отпрá-вились к заповéдному лéсу*. Фи́лька знал, что лес о́чень большóй и зимóй стано́вится непроходи́мым для человéка. В лесý мнóго зверéй: зáйцы, _ли́сы_, _лóси_, медвéди. Где́-то там должны́ быть и вóлки. Фи́лька надéялся, что Чёрные Уши найдёт их и сумéет вы́жить.

Снег попадáл в боти́нки, шéе бы́ло хóлодно без шáрфа, но мáльчик не замечáл э́того. Засидéвшийся дóма волчóнок си́льно тянýл Фи́льку к лéсу, хотя́ его́ лáпы и провáливались в снег.

Через двадцать минут они были уже на *опушке* леса. Здесь Филька остановился. Чёрные Уши стоял рядом и *принюхивался*, не обращая внимания на падавший сверху снег. Он смотрел в лес.

— Скоро я тебя отпущу, и ты сам выбирай, что делать! — сказал ему Филька, вытирая слёзы. — Если пойдёшь за мной, мы вернёмся домой, а утром я отвезу тебя в зоопарк. Если останешься — никогда не выходи из леса и не *приближайся* к людям: они испугаются тебя и пристрелят.

Пока мальчик говорил, волчонок внимательно слушал, как будто всё понимал. Потом Филька наклонился и замёрзшими пальцами отстегнул ошейник. Волчонок сделал несколько прыжков в сторону и, не почувствовав верёвки, удивлённо оглянулся на мальчика.

— Иди! Иди же! — плача, крикнул ему Филька.

Чёрные Уши понюхал снег, несколько секунд простоял в нерешительности, а потом быстро побежал к лесу. Уже у леса он повернул морду, ещё раз оглянулся на Фильку, как будто прощаясь, и побежал дальше.

Филька долго смотрел на его следы на снегу, а после бросил ошейник в снег и пошёл к посёлку.

Если эти слова (в тексте они выделены) вам незнакомы, посмотрите их значение в словаре.

Верте́ть
вскри́кнуть
выполза́ть

Гирля́нда

Дёргать

Завыва́ть

Издева́тельски
иску́сственный

Карау́лить

Мига́ть

Перепу́тать
перехитри́ть
подозри́тельный
помаха́ть
посети́ть
противога́з
пря́тать

Разбуди́ть
размышля́ть
рассерди́ться
расхохота́ться

Сверну́ть
скри́пнуть

Тоска́

Усме́шка

Фо́кус
фотовспы́шка

Хло́пнуть

Шар
шо́рох

Щёлкнуть
щипа́ть

Новогоднее фото

В после́дний день второ́й че́тверти* Ка́тя Сундуко́ва и Анто́н Дани́лов стоя́ли на остано́вке и жда́ли тролле́йбус.

— Но́вый год послеза́втра! Дед Моро́з пода́рки принесёт! — мечта́тельно сказа́ла Ка́тя.

Дани́лов с *усме́шкой* посмотре́л на неё:

— Дед Моро́з? Скажи́ ещё, Снегови́к* в *противога́зе*! Нет никако́го Де́да Моро́за!

— А пода́рки? — удиви́лась Сундуко́ва.

— Ты совсе́м глу́пая? — *рассерди́лся* Анто́н. — Пода́рки тебе́ ма́мочка с па́почкой под ёлку кладу́т. Это тепе́рь да́же первокла́ссники зна́ют. Поло́жат пода́рочки, а пото́м у́тром ска́жут, что э́то он приходи́л. Кто́-нибудь когда́-нибудь живо́го Де́да Моро́за ви́дел?

Ка́тю, ве́рившую в нового́дние чудеса́, слова́ прия́теля оби́дели:

— А я уве́рена, что Дед Моро́з есть! Мо́жет быть, тебе́ и роди́тели пода́рки под ёлку пря́чут, а мне настоя́щий Дед Моро́з.

Дани́лов гро́мко *расхохота́лся*.

— Спо́рю на твои́ ро́ликовые коньки́, что нико́го Де́да Моро́за нет! Если я проигра́ю, ты получа́ешь мой го́рный велосипе́д! — сказа́л он, *издева́тельски* протя́гивая ладо́нь.

Сундуко́ва *хло́пнула* его́ по ладо́ни:

— Договори́лись! Приходи́ к нам на Но́вый год, и я покажу́ тебе́ Де́да Моро́за.

Анто́н вскочи́л в подоше́дший тролле́йбус и кри́кнул:

47

— Считай, что ро́ликовые коньки́ уже́ мои́! Попроща́йся с ни́ми! И знай, э́то до́лжен быть настоя́щий Дед Моро́з, а не твой переоде́тый па́почка с ва́тной бородо́й!

Ка́тя смотре́ла на отъезжа́ющий тролле́йбус и *размышля́ла*, ей не хоте́лось отдава́ть но́вые ро́ликовые коньки́.

Она́ пришла́ домо́й и рассказа́ла о спо́ре ма́ме. Та сказа́ла, что хотя́ Дед Моро́з, коне́чно, существу́ет, вряд ли он успе́ет прийти́ за одну́ ночь к не́скольким со́тням миллио́нов дете́й, живу́щих в ра́зных уголка́х ми́ра. «Пожа́луй, ма́ма то́же не о́чень ве́рит в него́», — с *тоско́й* поду́мала де́вочка.

Она́ взяла́ калькуля́тор и, раздели́в чи́сленность населе́ния Земли́ на коли́чество секу́нд в но́чи, вы́яснила, что, е́сли Дед Моро́з действи́тельно обойдёт всех дете́й ми́ра за одну́ ночь, ему́ придётся *посети́ть* три́ста со́рок ты́сяч дете́й в секу́нду, а э́то мно́го да́же для ска́зочного геро́я.

Она́ наде́ялась, что Анто́н забу́дет о спо́ре. Но 31 декабря́ он яви́лся в де́сять ве́чера и сел на дива́н, рассма́тривая на пра́здничном столе́ пиро́г и сала́ты.

— Я попроси́л роди́телей разреши́ть мне уйти́ на всю ночь, свои́-то пода́рки я и так получу́, — сказа́л он и доба́вил: — А ло́жка у вас есть?

И он без приглаше́ния на́чал есть сала́т.

— До́лжен же я набра́ться сил, что́бы всю ночь *карау́лить* Де́да Моро́за! Ведь так? — объясни́л Дани́лов. — Е́сли я засну́, вы ска́жете, что э́тот ска́зочный старичо́к приходи́л, пока́ я спал.

48

Часа́ в два но́чи, когда́ роди́тели Ка́ти пошли́ спать, Анто́н доста́л фотоаппара́т «Поларо́ид»* и сел у ёлки.

— Ждём! — заяви́л он издева́тельски.

Ка́тя сиде́ла ря́дом в глубо́ком кре́сле и рассма́тривала *шары́* на ёлке.

«То́лько бы Дед Моро́з пришёл!» — всё вре́мя ду́мала она́ и незаме́тно усну́ла.

Анто́н *помаха́л* руко́й пе́ред но́сом у Ка́ти и убеди́лся, что та действи́тельно спит. Сам Дани́лов держа́лся до́лго, но по́сле трёх часо́в на́чал зева́ть. Никогда́ ещё он не сиде́л так по́здно. Он про́бовал *тере́ть* глаза́, *щипа́л* себя́, *дёргал за* уши, начина́л ходи́ть по ко́мнате, но спать всё равно́ о́чень хоте́лось.

Ёлка свети́лась разноцве́тной *гирля́ндой*. За окно́м завыва́л ве́тер. Ничего́ не обеща́ло, что Дед Моро́з до́лжен прийти́. «Да и как бы он появи́лся, е́сли бы да́же существова́л? Дверь закры́та, а на восьмо́й эта́ж по трубе́ лезть высоко́», — с усме́шкой поду́мал Анто́н.

В полови́не пя́того он реши́л *разбуди́ть* Ка́тю и сказа́ть, что Дед Моро́з не приходи́л, поэ́тому пусть она́ отдаёт ему́ ро́ликовые коньки́. Де́вочка просну́лась и ста́ла *верте́ть* голово́й, ничего́ не понима́я.

— Ну что, где твой Дед Моро́з? Да и пода́рочков под ёлкой нет! — засмея́лся Дани́лов.

Неожи́данно послы́шался како́й-то *шо́рох*, гирля́нда на ёлке ста́ла мига́ть ча́ще, а дверь в коридо́р приоткры́лась.

— Не думай, что я поверю в такие *фокусы*... — сказал Антон. От природы *подозрительный*, он решил, что в комнату сейчас войдёт какой-нибудь родственник Сундуковой в красной шубе и с *искусственной* бородой.

Но в комнату никто не вошёл, да и в коридоре было пусто. Данилов стал оборачиваться к ёлке, но в этот момент *сверкнула фотовспышка*, и «Полароид», висевший у мальчика на шее, сам щёлкнул. Катя вскрикнула. Антон тоже испугался, но быстро успокоился.

— Наверное, я случайно нажал, — сказал он.

Но в этот момент из фотоаппарата начала медленно *выползать* карточка. Мальчик стал смотреть на неё, ожидая увидеть пустую комнату. Неожиданно он *вскрикнул*, закрыл рот ладонью и сполз на ковёр.

На снимке напротив ёлки стоял добродушно улыбающийся старик с большим мешком за плечами. Этого старика ни с кем нельзя было *перепутать*, потому что у него была длинная седая борода, ниже пояса. А под ёлкой лежала гора разноцветных подарков!

Дверь в комнату *скрипнула* и закрылась...

— Не забудь про мой горный велосипед! — напомнила Катя.

Если эти слова (в тексте они выделены) вам незнакомы, посмотрите их значение в словаре.

Баланси́ровать
безразли́чно

Великоду́шно
верёвка
возмуща́ться
воскли́кнуть
вслед

Гне́вный

Дичь
догоня́ть
доса́дливый
дразни́ть

За́висть
замере́ть
зану́да
заса́да

Инвали́дный, инвали́д

Мгнове́нный

Мозо́ль

Назло́
невезе́ние
неле́по
носи́ться

Обесси́лить

опережа́ть
отча́иваться
охо́тник
оштукату́ренный

Па́ника
перехитри́ть
подкарау́лить
пожа́рный
попа́сться
предупрежда́ть
пресека́ть
признава́ться
псих

Раздражённый
размышля́ть
разочарова́ние
решётка
рове́сник

Сви́нство
совпаде́ние
струна́

Хихи́кнуть
хохота́ть

Ша́хта

Элемента́рно

В лифте

Ка́к-то давны́м-давно́, ка́жется, дня три наза́д, семикла́ссники Фи́лька Хитро́в, Анто́н Дани́лов, Пе́тька Мокре́нко и Ко́ля Его́ров возвраща́лись из шко́лы. Когда́ они́ проходи́ли ми́мо двадцати-пятиэта́жного до́ма, Ко́ля останови́лся и стал смо-тре́ть вверх.

— Дава́йте на кры́шу подни́мемся! — предло-жи́л он.

Все сра́зу согласи́лись с э́тим предложе́нием, оди́н Анто́н был про́тив.

— Заче́м? Что нам там де́лать? — спроси́л он.

— А ничего́ не де́лать. Про́сто подни́мемся и посмо́трим. Интере́сно ведь, — сказа́л Фи́лька Хитро́в.

— Это вам интере́сно, а мне неинтере́сно. Всё равно́ ничего́ не полу́чится, — хихи́кнул Анто́н.

Толстя́к Пе́тька Мокре́нко толкну́л Анто́на плечо́м, заста́вив его́ шагну́ть с доро́жки в снег:

— Како́й ты *зану́да*, Дани́лов! Неудиви́тельно, что тебя́ в кла́ссе не лю́бят! Ла́дно, и без тебя́ подни́мемся!

Ребя́та поверну́лись и пошли́ к подъе́зду. Анто́н не́которое вре́мя, разду́мывая, смотре́л им *вслед*, а пото́м, приде́рживая руко́й су́мку, побежа́л *догоня́ть*.

Семикла́ссники зашли́ в лифт и нажа́ли кно́пку два́дцать пя́того этажа́. Отсю́да они́ собира́лись вы́йти на кры́шу, но их ожида́ло *разочарова́ние*. Ле́стница, веду́щая на кры́шу, была́ загоро́жена железной решёткой, на которой висел большой замок.

— Ну вот, говорил я, что ничего не получится! — радостно *воскликнул* Антон Данилов.

— Это *свинство* везде замки вешать! — сказал Коля Егоров. — А если бы я был *пожарный* или из группы захвата*? Может, мне на эту крышу срочно надо!

— А давайте лучше на лифте кататься! — сказал Филька Хитров.

Его предложение всем понравилось, и, зайдя в лифт, ребята стали нажимать кнопки разных этажей. Иногда между этажами они нажимали кнопку «стоп» и начинали *хохотать*. Ребята покатались на лифте ещё какое-то время, а потом случайно Филька нажал на первый этаж, забыв, что при длительном катании на лифте именно на первом этаже собирается больше всего *раздражённых* людей, которые не могут воспользоваться лифтом.

Хорошо ещё, что Коля Егоров успел нажать на «стоп», прежде чем лифт полностью остановился. Ребята услышали, как в закрытые двери застучали кулаки.

— Быстро вылезайте! Вам говорят! Надо полицию вызвать! — слышали ребята гневные мужские голоса.

— Что будем делать? — испугавшись, прошептал Мокренко.

— Главное, без *паники*! Поднимемся повыше и подождём на лестнице, пока они не разъедутся по квартирам, — сказал Филька, нажимая на кнопку десятого этажа.

Они поднялись на десятый этаж, вышли из лифта и, прислушиваясь, просидели на лестнице минут пятнадцать, пока ругающиеся жильцы разъехались по квартирам и все голоса стихли.

— Ну вот и всё! — сказал Филька. — Теперь снова можно кататься!

— Я не буду! Я на музыку опоздаю! — сказал Антон Данилов.

— Не опоздаешь. У тебя во сколько музыка начинается?

— В четыре.

— А сейчас только час. Нас сегодня на два урока раньше отпустили. Забыл? Или, может, ты боишься?

Антону не хотелось в этом *признаваться*, и они снова вернулись в лифт. Минут через десять катание им надоело, и тогда Филька придумал игру.

— Разделяемся на две команды! — сказал он. — Одна команда остаётся в лифте, другая — на этажах. Если та команда, которая на этажах, поймает ту, которая в лифте, команды меняются местами. Понятно? Только давайте договоримся, кнопку «стоп» не нажимать, а то так можно ловить до бесконечности. И слишком высоко не уезжать — мы не будем двадцать пять этажей за вами бегать.

Решив проверить, что получится из этой игры, ребята разделились на две команды. В первую вошли Петька и Коля Егоров, а в другую — Филька и Антон. Антону в лифте надоело, и он радостно согласился ловить ребят на этажах.

Когда они с Филькой вышли из лифта, Коля, показав им язык, нажал на кнопку и лифт уехал вверх.

— Хочет заставить нас побегать. Но мы его *перехитрим!* — сказал Филька.

— Как? — спросил Антон.

— *Элементарно.* Я Кольку знаю очень хорошо. Он будет отъезжать на два-три этажа и *дразнить* нас, чтобы закрыть дверь в последнюю секунду. А мы его перехитрим: ты останешься на месте, а я буду за ним бегать. Он решит, что мы вместе, отъедет вниз и попадёт к тебе.

Определив по звуку, что лифт остановился несколькими этажами выше, Филька побежал по лестнице, а Антон остался на месте. Поднявшись на три этажа вверх, Филька увидел, что Петька держит двери лифта ногой, мешая им закрыться, а Коля уже приготовил палец, чтобы нажать на кнопку. Филька бросился к ним, но не успел. Мокренко *мгновенно* убрал ногу, Коля нажал на кнопку, и хохочущий лифт уехал.

«Пускай теперь Антон их ловит, а я их наверху *подкараулю!*» — подумал Филька и стал неторопливо подниматься по лестнице.

На следующем этаже он, приложив ухо к закрытым дверям шахты, прислушался. Снизу послышался смех Мокренко и *досадливый* крик Антона, и Филька понял, что тот тоже не успел.

Значит, они ошиблись: лифт остановился этажом выше и, пока Данилов подбегал к нему, снова успел уехать.

Филька *носился* и подкарауливал лифт на всех этажах, но каждый раз опаздывал. Наконец, окончательно обессилев, Филька додумался никуда не бегать, а остаться на месте и, устроив *засаду*, ждать, пока *дичь* сама не наскочит на *охотника*. Но сегодня у него ничего не получалось. Когда минут через пять лифт всё-таки остановился на его этаже и Филька, дождавшись, пока откроются двери, прыгнул внутрь с криком: «Ну вот вы и *попались*!» — оказалось, что в лифте уже был Антон.

— Я их раньше поймал! Они на моём этаже остановились, а я так схватил Мокренко за ногу, что он даже закричал! — рассказывал Антон.

— Ладно, давайте теперь меняться! Мы вас сразу схватим! — недовольно заявил Коля.

Мокренко с Егоровым хотели уже выскочить из лифта, как вдруг Филька Хитров посмотрел на свои пустые руки и сказал:

— Эй, постойте! А где мой рюкзак?

— Наверное, ты его где-нибудь забыл, когда мы по этажам бегали, — сказал Антон.

— Да! А на каком этаже я его забыл, не помнишь?

— Откуда я знаю?

— Вот так *совпадение*: и я тоже не знаю! — сказал Филька. — Значит, нужно будет обойти пешком все двадцать пять этажей и искать мой рюкзак.

Филька вы́шел из ли́фта и, *размышля́я* о своём *невезе́нии*, стал поднима́ться по ле́стнице.

Неожи́данно на одно́й из площа́док Фи́лька уви́дел колесо́, похо́жее на велосипе́дное. Он по́днял го́лову и по́нял, что колесо́ принадлежа́ло *инвали́дной* коля́ске. На ней с нога́ми, прикры́тыми пле́дом, сиде́ла большегла́зая де́вочка с дли́нной косо́й и держа́ла в рука́х его́ рюкза́к. Фи́лька *за́мер.*

— Приве́т. Это твой? — спроси́ла де́вочка, подава́я ему́ рюкза́к. Го́лос у неё был вполне́ незави́симый, сло́вно она́ с са́мого нача́ла *пресека́ла* все попы́тки её жале́ть.

— Мой, — сказа́л Фи́лька.

— Я так и поняла́. У тебя́ лицо́ бы́ло тако́е, бу́дто ты что́-то и́щешь.

Фи́лька взял рюкза́к и, помолча́в, спроси́л:

— Ты… э́то… тут чего́, ли́фта ждёшь?

— Давно́, но он почему́-то всё вре́мя за́нят.

— Это мы игра́ли… дво́е уезжа́ли, а мы их лови́ли… по этажа́м за ни́ми бе́гали… — ти́хо сказа́л Хитро́в, чу́вствуя себя́ винова́тым.

Он ожида́л, что де́вочка бу́дет *возмуща́ться* и руга́ть их, как руга́ли те лю́ди внизу́, но она́ то́лько вздохну́ла с лёгкой *за́вистью.*

— Я бы то́же, наве́рное, поигра́ла, е́сли бы смогла́, — сказа́ла она́.

— А ты совсе́м не мо́жешь ходи́ть? — спроси́л Фи́лька.

Де́вочка серьёзно взгляну́ла на него́ и, поня́в, что он не хо́чет её оби́деть, сказа́ла:

— Врачи́ говоря́т, что́бы я не отча́ивалась, но я ду́маю, что они́ меня́ успока́ивают. Я ведь да́же не чу́вствую ног.

— А как э́то с тобо́й случи́лось? От рожде́ния?

— Нет, я сама́ винова́та. Когда́ я учи́лась во второ́м кла́ссе, меня́ не пусти́ли гуля́ть и закры́ли в ко́мнате на ключ. Тогда́ я назло́ роди́телям реши́ла спусти́ться по верёвке... Верёвка оборвала́сь, а я упа́ла с тре́тьего этажа́ на спи́ну и слома́ла позвоно́чник. Что́-то там не сросло́сь... В о́бщем, с тех пор я не хожу́.

Го́лос де́вочки звуча́л как натя́нутая струна́, а сама́ она́ смотре́ла куда́-то вниз, и Фи́лька по́нял, что ей тяжело́ расска́зывать. Э́то слу́шать про чужи́е несча́стья про́сто, а когда́ э́то произошло́ с тобо́й...

— А ты в шко́лу хо́дишь? — спроси́л он, помолча́в.

— Нет. Ко мне учителя́ домо́й прихо́дят, даю́т зада́ние, уче́бники прино́сят, а пото́м проверя́ют.

— А ты в како́м сейча́с кла́ссе?

— В седьмо́м.

— И я в седьмо́м! — обра́довался Фи́лька. — Зна́чит, мы рове́сники. А как тебя́ зову́т?

— На́стя.

— А меня́ Фили́пп, ну э́то е́сли по́лное и́мя. А ты мо́жешь называ́ть меня́ Фи́лька. Меня́ все друзья́ так называ́ют.

В э́тот моме́нт на их этаже́ останови́лся лифт, две́рцы его́ разъе́хались и вы́глянуло дли́нное лицо́ Анто́на Дани́лова.

— Вот ты где! А мы тебе кричали, кричали! Кольке с Петькой надоело тебя ждать, и они домой ушли. Ну что, нашёл свой рюкзак? — спросил Антон, но, увидев девочку на коляске, замолчал и *нелепо* открыл рот.

— Закрой рот и вылезай! — строго сказал ему Филька.

— Зачем? — спросил Антон.

Филька вытащил Антона из лифта и помог Насте въехать в него. Широкая коляска заняла всю кабину, и в лифте больше не осталось места.

— Знаешь что, ты поезжай вниз, а я к тебе по лестнице спущусь! — сказал Филька девочке и быстро побежал к лестнице.

Девочка удивлённо посмотрела на него, а потом нажала на кнопку, и двери лифта закрылись.

— Ты куда? Зачем она тебе? Ты в неё влюбился? — закричал Антон, догоняя Фильку.

— А тебе какое дело? — резко спросил Хитров.

— Мне никакого. Но она же… больная! Видел, как она колёса руками крутит? Разве в таких влюбляются? Я тебя как друга *предупреждаю*.

Филька остановился, повернулся к Антону, а потом, схватив его за куртку, вытер его спиной *оштукатуренную* стену.

— Ты чего, *псих*? Я тебе как другу… Я тебя на лифте искал, а ты… — удивлённо говорил Антон.

— Это ты больной, а не она… у тебя вместо сердца — толстая *мозоль*! — Филька оттолкнул Антона так, что тот сел на ступеньки, а сам быстро побежал по лестнице. Данилов смотрел ему вслед и крутил у виска пальцем.

— Псих! — кри́кнул он то́нким испу́ганным го́лосом. — Тебе́ лечи́ться на́до!

Сбежа́в с двена́дцатого этажа́, Фи́лька уста́л. На́стя уже́ ждала́ его́ на площа́дке во́зле ли́фта.

— Я не о́чень опозда́л? — спроси́л Фи́лька. — Ду́мал, ты уже́ на у́лицу вы́ехала! Дава́й я тебя́ свезу́!

— Мне не ну́жно на у́лицу! — проговори́ла де́вочка. — Я е́хала к ба́бушке на двадца́тый эта́ж.

Тут то́лько Хитро́в увиде́л, что де́вочка была́ без ку́ртки, в одно́м то́нком сви́тере — а в тако́й оде́жде зимо́й на у́лицу не выхо́дят.

— А заче́м же ты вниз е́хала? — удивлённо спроси́л Фи́лька.

— А кто мне сказа́л: «Ты поезжа́й вниз, а я по ле́стнице спущу́сь?» Я да́же ничего́ объясни́ть не успе́ла, вот и пое́хала вниз! — ве́село восклкну́ла На́стя.

— Тогда́ поезжа́й сно́ва наве́рх! — сказа́л Фи́лька, вка́тывая де́вочку наза́д в лифт.

— А ты? — спроси́ла На́стя.

— А я пешко́м, всё равно́ мы вме́сте не поме́стимся! — сказа́л Фи́лька.

— Мо́жет, тебе́ подожда́ть, пока́ я подниму́сь, и ещё раз лифт вы́звать? — спроси́ла На́стя.

— Нет, — отве́тил Фи́лька. — Пешко́м быстре́е! Ну пока́! Наверху́ я тебе́ ко́е-что скажу́!

И он сно́ва побежа́л к ле́стнице. Где́-то на у́ровне восьмо́го этажа́ ему́ встре́тился Анто́н, но, уви́дев Хитро́ва, он сра́зу отверну́лся в другу́ю сто́рону: ви́дно бы́ло, что оби́жен. Одна́ко Фи́льке это было *безразлично*, ведь на двадцатом этаже его ждала Настя.

Как и внизу, она сидела в коляске у лифта и смотрела на Фильку своими серьёзными большими глазами.

— Что ты мне хотел сказать? — спросила Настя.

— Я... хотел... сказать: «Давай с тобой дружить!» — произнёс Филька.

Девочка звонко засмеялась:

— А внизу ты мне этого не мог сказать?

— Внизу было бы не то, — улыбнулся Хитров. — Ну так как: да или нет?

Настя ещё раз взглянула на него.

— Да, конечно, да! — сказала она, чуть помедлив.

— Вот и хорошо! — обрадовался Филька. — Я буду с тобой уроками заниматься: объяснять тебе домашнее задание.

— А ты как учишься? — спросила Настя.

— Очень по-разному. В основном *балансирую* между тройками и четвёрками. Но не потому, что я глупый, просто у меня как-то времени на учёбу не хватает, — неохотно признался Филька.

— Всё равно будет здорово, если ты со мной позанимаешься! — улыбнувшись, сказала Настя.

— А у тебя какие оценки? — спросил Хитров.

— Больше двоек, но бывают и тройки! — сказала Настя.

— Ничего... До четвёрки как-нибудь дотянем! — *великодушно* пообещал Филька. Ему было приятно, что Настя учится ещё хуже, чем он.

Договори́вшись зайти́ к ней за́втра по́сле шко́лы, Фи́лька как на кры́льях полете́л домо́й. Ли́фтом он сно́ва не стал по́льзоваться: ему́ вдруг захоте́лось пробежа́ться. Он чу́вствовал необыкно́венный душе́вный подъём и ра́дость, заставля́вшую его́ пры́гать че́рез три ступе́ньки.

А На́стя в э́то вре́мя сиде́ла у ба́бушки и улыба́лась, гля́дя в окно́. Она́ представля́ла, как за́втра тро́ечник Фи́лька бу́дет с ней занима́ться, не зна́я, что она́ кру́глая отли́чница* и *опережа́ет* програ́мму на полго́да.

«Не бу́ду ему́ ничего́ говори́ть, пока́ не бу́ду!» — реши́ла она́.

Если эти слова (в тексте они выделены) вам незнакомы, посмотрите их значение в словаре.

Возмути́ться
врать
вы́тащить

Жестикули́ровать

Замере́ть
занемо́чь
заставля́ть

Недове́рчиво

Подми́гивать
поми́лование
попа́сться
пре́лесть
приговорённый
признава́ться
притвори́ться

Раздува́ться
рассужда́ть

Спря́тать
стру́сить

Хвора́ющий

Шевели́ть
шеде́вр
шу́тка

Жил-был Онегин

Филька Хитров читал очень редко — у него всегда не хватало на это времени. Разве будешь читать, когда по телевизору идёт боевик, или в компьютерной игре ты каждый раз не можешь пройти дальше третьего уровня, или приятель зовёт на улицу погулять?

Однажды Максим Александрович задал выучить наизусть отрывок из «Евгения Онегина»*, тот, где поэт рассуждает о чьём-то *хворающем* дядюшке. Надеясь, что его не вызовут отвечать урок, Филька ничего не выучил. А на следующий день, осмотрев с высоты своего роста класс, Максим Александрович вызвал его к доске.

«Ну вот, *попался*!» — грустно подумал Филька, но к доске всё же вышел и громко объявил:

— Александр Сергеевич Пушкин* родился в 1799 году и вскоре написал замечательный *шедевр* русской словесности — «Евгения Онегина».

— Ты не в цирке! Читай отрывок! — потребовал Максим Александрович.

— А что такое отрывок? — продолжал *рассуждать* Филька. — Разве он может выразить всю *прелесть* шедевра русской словесности?

Максим Александрович подождал, пока смех в классе утихнет, и сказал:

— Хитров, если ты думаешь, что ты тут самый умный, то ошибаешься. Самый умный здесь я. Ну *признайся*, ведь ты книги даже в руках не держал?

— Я не держа́л в рука́х кни́ги? Да я ты́сячу книг в рука́х держа́л, е́сли не бо́льше! — *возмути́лся* Фи́лька.

Макси́м Алекса́ндрович взгляну́л на своё *отраже́ние* в око́нном стекле́, вы́прямил спи́ну и спроси́л:

— Так ты бу́дешь чита́ть отры́вок и́ли рассужда́ть?

— Я бу́ду чита́ть, но не сра́зу, — пообеща́л Фи́лька. — Внача́ле мне хоте́лось бы изложи́ть свой взгляд на литерату́ру вообще́. Ра́ньше почему́ так мно́го чита́ли? Потому́ что не́ было телеви́зоров и компью́теров. Тут уж коне́чно бу́дешь чита́ть, де́лать-то бо́льше не́чего. И пото́м, не могу́ я получа́ть удово́льствие от кла́ссики*, когда́ меня́ *заставля́ют*. Вот вы́расту, тогда́, мо́жет быть, и мне э́то бу́дет интере́сно.

Рассужда́я так, Фи́лька внима́тельно наблюда́л за Макси́мом Алекса́ндровичем. Заме́тив, что рука́ учи́теля потяну́лась к лежа́щей на журна́ле* ру́чке, Хитро́в бы́стро заяви́л:

— Подожди́те, Макси́м Алекса́ндрович! Я не сказа́л са́мого гла́вного! Я не чита́ю сейча́с отры́вок, потому́ что учу́ всего́ «Евге́ния Оне́гина»!

Ру́чка останови́лась в трёх миллиме́трах от журна́ла.

— Ты не мог бы повтори́ть то, что ты сейча́с сказа́л, — попроси́л Макси́м Алекса́ндрович. — Что́-то я пло́хо слы́шу.

— Я учу́ всего́ «Евге́ния Оне́гина». По ме́тоду… э-э… уско́ренного запомина́ния, — повтори́л Фи́лька.

— Да? И когда́ же ты нам его́ прочтёшь?

— Че́рез неде́лю!

Макси́м Алекса́ндрович *недове́рчиво* посмотре́л на Фи́льку:

— Хорошо́, Хитро́в, я подожду́ неде́лю. Но е́сли к тому́ вре́мени ты не вы́учишь нам «Евге́ния Оне́гина» от нача́ла до конца́, я поста́влю тебе́ сто́лько дво́ек, ско́лько в «Евге́нии Оне́гине» глав. А их там де́сять.

Когда́ уро́к зако́нчился, к Фи́льке подбежа́л его́ прия́тель Ко́ля Его́ров:

— Заче́м ты *врал*, что у́чишь «Евге́ния Оне́гина»?

— Как-то так получи́лось. У меня́ всегда́: внача́ле скажу́, а пото́м уже́ ду́маю, — призна́лся Фи́лька.

— И что ты тепе́рь бу́дешь де́лать? Действи́тельно всего́ «Евге́ния Оне́гина» учи́ть ста́нешь?

— Не зна́ю, — отве́тил Фи́лька. — А ско́лько в нём страни́ц?

— Ка́жется, страни́ц две́сти.

— Это по три́дцать страни́ц в день? Мне сто́лько не запо́мнить.

— А е́сли *притвори́ться* больны́м?

— Макси́м Алекса́ндрович не пове́рит. И пото́м полу́чится, что я как бу́дто *стру́сил*. На́до что́-нибудь друго́е приду́мать.

И Фи́лька вы́шел из кла́сса. Он ду́мал, ду́мал, ду́мал и чу́вствовал, что голова́ у него́ *раздува́ется* как возду́шный шар.

Че́рез три дня ве́чером он позвони́л Ко́ле и спроси́л:

— У тебя́ есть магнитофо́н?

— Есть. А у тебя́ ра́зве нет? — удиви́лся Ко́ля.

— И у меня́ есть, но мой без микрофо́на. Я хочу́ «Евге́ния Оне́гина» на диск записа́ть.

— А, по́нял… — засмея́лся Ко́ля. — Ты хо́чешь вста́вить диск в магнитофо́н, пото́м вста́вить нау́шник в у́хо и на уро́ке сам себе́ подска́зывать.

— Ничего́ ты не по́нял, — заяви́л Фи́лька. — Я то́же об э́том ду́мал, но э́тот фо́кус не полу́чится. Нау́шник Макси́м Алекса́ндрович заме́тит. Лу́чше я *спря́чу* себе́ под сви́тер магнитофо́н на батаре́йках и незаме́тно включу́ его́. Я всё проду́мал. Если пра́вильно встать, то от своего́ стола́ Макси́м Алекса́ндрович бу́дет ви́деть то́лько одно́ моё у́хо и часть щеки́.

— А гу́бы?

— Что гу́бы? Гу́бы ему́ со своего́ ме́ста не ви́дно. Но на вся́кий слу́чай я, коне́чно, бу́ду и́ми *шевели́ть*. Если пра́вильно всё сде́лать, Макси́м Алекса́ндрович ничего́ не заме́тит, а ребя́та не ска́жут.

Фи́лька взял у Ко́ли магнитофо́н и в оста́вшиеся дни начита́л на него́ всего́ «Евге́ния Оне́гина».

Че́рез неде́лю Макси́м Алекса́ндрович вошёл в класс и, ве́село взгляну́в на Фи́льку, сказа́л:

— Я ду́мал, Хитро́в, что ты не придёшь на уро́к. Ты вы́учил «Евге́ния Оне́гина»?

— Коне́чно вы́учил! — сказа́л Фи́лька.

— Ну чита́й! — учи́тель недове́рчиво по́днял бро́ви и сел за свой стол, перели́стывая журна́л.

Фи́лька вы́шел к доске́ и гро́мко объяви́л:

— «Евге́ний Оне́гин». Рома́н в стиха́х. Глава́ пе́рвая. Эпи́граф: И жить торо́пится и чу́вствовать спеши́т. Князь Вя́земский*. Мой дя́дя са́мых че́стных пра́вил...

Тут Хитро́в нажа́л кно́пку включе́ния магнито́фо́на, спря́танного у него́ под сви́тером.

> — Когда́ не в шу́тку *занемо́г*,
> Он уважа́ть себя́ заста́вил
> И лу́чше вы́думать не мог... —

зарабо́тал магнитофо́н.

Фи́лька *жестикули́ровал*, шевели́л губа́ми, поэти́чно отбра́сывал со лба во́лосы и и́зо всех сил стара́лся, что́бы учи́тель не заме́тил магнитофо́на. Внача́ле Макси́м Алекса́ндрович смотре́л на него́ с удивле́нием, а пото́м стал слу́шать. Он слу́шал весь уро́к. «Пове́рил! Получи́лось!» — ра́довался Фи́лька, *подми́гивая* ребя́там в кла́ссе.

Когда́ до конца́ уро́ка оста́лась всего́ мину́та, Макси́м Алекса́ндрович останови́л его́:

— Хорошо́, Хитро́в, хва́тит! Ви́жу, что зна́ешь. Иди́ сюда́ с дневнико́м*!

Фи́лька показа́л Ко́льке язы́к и нажа́л на кно́пку выключе́ния. Он подошёл к учи́тельскому столу́ и по́дал дневни́к. Сде́лав вид, что хо́чет взять дневни́к, Макси́м Алекса́ндрович неожи́данно зале́з Хитро́ву за во́рот сви́тера и *вы́тащил* магнитофо́н.

— Что, Хитро́в, ду́мал обману́ть меня́? Я почти́ сра́зу по́нял, что тут что́-то не так... Дава́й дневни́к! — И Макси́м Алекса́ндрович взял ру́чку.

Получи́в обра́тно дневни́к, Фи́лька пошёл на своё ме́сто. Да́же прозвене́вший в э́ту секу́нду звоно́к уже́ не мог его́ спасти́. Си́дя за па́ртой, Фи́лька реши́лся посмотре́ть в дневни́к, ожида́я уви́деть там не́сколько дво́ек. Неожи́данно он замер, как бу́дто *приговорённый* к сме́рти, кото́рому прочита́ли *поми́лование*. В дневнике́ стоя́ла четвёрка!

— Ну что, Хитро́в, говори́л я тебе́, что са́мый у́мный из нас я! Э́то тебе́ в награ́ду за то, что прочита́л всего́ «Евге́ния Оне́гина»! — кри́кнул ему́ Макси́м Алекса́ндрович. — Но не о́чень ра́дуйся! Ско́ро мы бу́дем изуча́ть рома́н «Война́ и мир»*, и ты бу́дешь учи́ть его́ то́же наизу́сть.

Если эти слова (в тексте они выделены) вам незнакомы, посмотрите их значение в словаре.

Вепрь
восхити́ться
вцепи́ться

Гна́ться
гори́лла
гро́зный

Добро́ду́шный

Загри́вок
замере́ть

Кента́вр

Мча́ться

Наперере́з

Озабо́ченно
опроки́нуть
отступи́ть

По́двиг
помучить
попя́титься

Равноду́шный
румя́нец

Смуща́ться
соверши́ть
ста́туя

Тигр

Укроти́тель

Хихи́кнуть
шва́бра

Подвиг во имя любви

В своей жизни Филька Хитров попадал в такое количество дурацких историй, что для того, чтобы сосчитать их, не хватило бы пальцев не только на его руках и ногах, но и на руках и ногах всего 7 «А»*.

И вот одна из них, которая произошла тогда, когда Аня Иванова только перевелась в их класс из другой школы и Филька ещё не был с ней знаком. Их знакомство началось с того, что Филька в неё сразу влюбился. Это было то, что называют любовью с первого взгляда.

Филька вбежал в класс с высоко поднятой над головой *шваброй*: он *гнался* за Антоном Даниловым, бросившим в него мокрой тряпкой. Он почти догнал его, как вдруг увидел Аню и *замер*, словно *статуя*, открыв рот так широко, что в него мог положить голову *укротитель тигров*.

Разумеется, Аня заметила, какое впечатление она произвела на Хитрова. Она важно прошла мимо него и, посмотрев из-под длинных ресниц на Фильку, вышла в коридор, а Хитров остался в классе. Антон снова хотел бросить в него мокрую тряпку, но, увидев Филькино лицо, *озабоченно* спросил:

— Ты что, о дверь стукнулся?

— Почему ты так решил? — удивился Филька.

— Ты на лицо своё посмотри! — посоветовал Антон и отправился искать, в кого бы ещё кинуть тряпку. Он тоже видел Аню, но его толстую кожу не способны были пробить никакие стрелы Амура*.

Филька Хитров стал добиваться сердца Ани. Вначале он писал ей записки, на которые она не отвечала, а потом пообещал, что будет давать ей списывать на контрольных.

— Только вначале я сам спишу у Кольки Егорова, — сказал он.

— Да уж спасибо! Своим умом справлюсь! — отказалась Аня.

Много способов перепробовал Филька, чтобы понравиться Ане. И цветы дарил, и гулять приглашал, и стихотворения Пушкина* переписывал, представляя их как свои, — но всё равно Аня оставалась к нему совершенно *равнодушной*. Она проходила мимо, даже не глядя в его сторону, и только гордым движением головы отбрасывала назад длинные волосы.

Так продолжалось, наверное, с месяц. От несчастной любви Филька даже мороженое перестал есть и похудел на полкилограмма.

И тогда Филька решил посоветоваться со своим умным дедушкой, тоже, кстати, Филиппом Хитровым, в честь которого и был назван.

— Дедушка, ты когда-нибудь влюблялся? — спросил Хитров-младший.

— Конечно! — ответил дед.

— А посоветоваться с тобой можно?

— Ну, советуйся! — разрешил старший Хитров.

— Понимаешь, мне нравится одна девчонка. Её зовут Аня. Я все способы перепробовал, но ничего не помогает. Вот я и хотел спросить...

— Аня, говоришь? Это ты исписал краской забор за домом? — вдруг спросил его дед.

— Там мно́го всего́ напи́сано. А я писа́л то́лько то, что про А́ню и про любо́вь, — сказа́л Фи́лька.

— А остальны́е на́дписи отку́да?

— Вообще́-то я кра́ску с ки́стью у забо́ра забы́л, и кто́-то её, наве́рное, нашёл, — призна́лся Фи́лька.

— Ты хоте́л узна́ть, как обрати́ть на себя́ внима́ние де́вочки? Испо́льзуй са́мый дре́вний в ми́ре спо́соб, кото́рым по́льзовались все настоя́щие мужчи́ны, — *соверши́* по́двиг.

— По́двиг? — переспроси́л Фи́лька. — Како́й?

— А уж э́то я не зна́ю. Сам реша́й!

Фи́лька пришёл домо́й, вы́тащил то́лстый ежедне́вник, в кото́ром он обы́чно запи́сывал все свои́ дела́, и на за́втрашнем числе́ написа́л: «Соверши́ть по́двиг». На э́том ме́сте Фи́лька останови́лся, потому́ что не зна́л, како́й и́менно по́двиг ему́ соверши́ть. Тогда́ он подошёл к по́лке, снял с неё энциклопе́дию для шко́льников, нашёл в ней статью́ «По́двиг» и стал чита́ть.

Внача́ле в статье́ расска́зывалось про двена́дцать по́двигов Гера́кла*, и Фи́лька то́лько вздыха́л, жале́я, что в на́ше вре́мя нет ди́ких *ве́прей, львов* и́ли *кента́вров*. Но пото́м он дочита́л до того́ абза́ца, где расска́зывалось о по́двиге Евпа́тия Коловра́та*, кото́рый с ма́лым во́йском налете́л на огро́мное во́йско Баты́я*, и как ру́сичи* поги́бли все до еди́ного, но никто́ не *отступи́л* и не сда́лся.

Хитро́в хло́пнул себя́ по лбу и вскочи́л. «Приду́мал! — воскли́кнул он. — Приду́мал!»

На друго́й день, когда́ А́ня вошла́ в класс, к ней подошёл толстя́к Пе́тька Мокре́нко. Он шёл, раскачиваясь из стороны в сторону, как вставший на две ноги самец *гориллы*.

— Пришла, Иванова? Спорим, я твой рюкзак в окно выкину? — спросил он и стал вырывать у Ани её школьную сумку. Не понимая, что случилось с *добродушным* прежде толстяком, Иванова *попятилась*, не отпуская свой рюкзак.

— А ну отойди от неё или будешь иметь дело со мной! Кому говорю! — чья-то рука легла Мокренко на плечо. Он обернулся и увидел Фильку.

— Защитник нашёлся! Ну ты у меня сейчас получишь, Хитров! — и толстяк бросился на Фильку.

Филька ловко увернулся и ударил Петьку кулаком в живот. Мокренко сложился пополам и упал на пол.

— На моих друзей напал! Берегись! — раздался *грозный* крик.

Сбоку на Фильку бросился Антон Данилов, но Хитров вывернул ему руку и вытолкнул Антона в коридор. Туда же, держась за живот, пошёл и Мокренко.

Филька подошёл к Ане.

— Всё хорошо! — сказал он гордо. — Ничего не бойся! Ты под моей защитой!

Но вместо того, чтобы *восхититься* героем, Аня постучала себя пальцем по лбу и прошла за свою парту.

— Дурак ты, Хитров! — сказала она.

Филька вышел в коридор. Там у окна его ждали Мокренко и Данилов.

— Ну как, получилось? — спросил Мокренко.

— Нет, не пове́рила. Лу́чше на́до бы́ло игра́ть, — сказа́л Хитро́в.

По́сле шко́лы, уже́ не наде́ясь соверши́ть по́двиг и э́тим обрати́ть на себя́ её внима́ние, Фи́лька всё же пошёл провожа́ть Аню. Он шёл ря́дом и молча́л. Ивано́ва же вообще́ смотре́ла в другу́ю сто́рону, бу́дто была́ одна́. То́лько оди́н раз она́ взгляну́ла на Фи́льку и *хихи́кнула*.

Они́ уже́ подходи́ли к Анькиному до́му, как вдруг услы́шали сза́ди гро́мкий лай. Фи́лька уви́дел, как, вы́скочив из-за угла́ до́ма, к ним больши́ми прыжка́ми *мчи́тся* огро́мная чёрная неме́цкая овча́рка*. «Наве́рное, у кого́-то с цепи́ сорвала́сь», — поду́мал Фи́лька. Ему́ ста́ло стра́шно. Пе́рвой его́ мы́слью бы́ло вскочи́ть в любо́й подъе́зд, но он вспо́мнил, что ря́дом с ним Аня.

— Спаса́йся, бы́стро! Я её задержу́! — кри́кнул он де́вочке и бро́сился *наперере́з* соба́ке.

Хитро́в пры́гнул и в прыжке́ схвати́л овча́рку за оше́йник, а та уда́рила его́ в грудь пере́дними ла́пами и *опроки́нула*. Совсе́м бли́зко от своего́ лица́ Фи́лька уви́дел слюня́вую пасть соба́ки и уже́ пригото́вился, что пёс *вце́пится* ему́ в го́рло. «Всё, коне́ц!» — поду́мал Фи́лька. Но тут кто́-то схвати́л соба́ку и оттащи́л её. Фи́лька привста́л на локтя́х. Он уви́дел, что Аня кре́пко де́ржит овча́рку за *загри́вок*, а пёс поджа́л у́ши и винова́то виля́ет хвосто́м.

— Мухта́р, фу!* Ря́дом!* Сколько раз тебе́ повторя́ть! — серди́то говори́ла ему́ де́вочка.

— Чья э́то соба́ка? — спроси́л Хитро́в.

75

— Это моя овчарка, Мухтар, — объяснила Аня.

— А почему она на нас бросилась?

— Она на нас не бросалась. Просто она меня увидела и побежала здороваться. Я тебе хотела объяснить, но не успела, — сказала Иванова.

— Теперь всё понятно. У меня больше нет вопросов, — сказал Филька.

Он встал и, повернувшись спиной, пошёл к автобусной остановке. «Какой я дурак! Герой называется! Хотел защитить девчонку от собаки, а получилось, что она меня сама защитила», — думал он.

Но тут он вдруг услышал её голос. Хитров удивлённо обернулся и увидел, что его догоняет Аня. На щеках у неё был *румянец*, а глаза сияли как две звезды. Она взяла Фильку за рукав и, *смущаясь*, сказала:

— Подожди, не убегай! Ну и смелый же ты! Как ты на моего Мухтара бросился!.. Ты давно мне нравился, но я хотела тебя немножко *помучить*. Хочешь зайти к нам в гости?

Комментарий

Дмитрий Емец

Камчатка — полуостров в северо-восточной части Евразии на территории России.

Кандидатская диссертация — квалификационная работа на присуждение учёной степени. В России различают диссертации на соискание учёной степени кандидата наук и доктора наук.

Городское фэнтези — описанные в таких произведениях события никогда не произойдут в реальности. Действие обычно происходит в вымышленном мире, на другой планете.

Ужасная ночь

7 «А» — если в школе несколько седьмых или каких-то других одинаковых классов, то для их отличия присваиваются буквы «А», «Б» или «В».

Двухстволка — двуствольное охотничье ружьё.

Немецкая овчарка — порода собак.

Заповедный лес — территория, на которой под охраной государства находятся животные и растения.

Тундра — в России северная часть территории, прилегающая к Северному Ледовитому океану, где под неглубоким слоем почвы находятся вечные льды, и поэтому там растут только мох и низкие кустарники.

Белые грибы — съедобные грибы очень ценной породы.

Подберёзовики — благоро́дные съедо́бные грибы́.

Чернушки — съедо́бные грибы́.

Свинушки — съедо́бные грибы́.

Первопрохо́дец — челове́к, кото́рый пе́рвый прокла́дывает путь в освое́нии чего́-то но́вого.

Азимут — у́гол, образу́емый за́данным направле́нием движе́ния и направле́нием на се́вер.

Дрессиро́вщик

7 «А» — е́сли в шко́ле не́сколько седьмы́х и́ли каки́х-то други́х одина́ковых кла́ссов, то для их отли́чия присва́иваются бу́квы «А», «Б» и́ли «В».

Перси́дский кот — поро́да ко́шек.

Волчо́нок

Дворня́жка — беспоро́дная соба́ка.

Дог — поро́да соба́к.

Бультерье́р — поро́да соба́к.

Диплома́т *здесь*: о челове́ке, кото́рый уме́ет договори́ться с людьми́.

Неме́цкая овча́рка — поро́да соба́к.

Фу, фу! — кома́нда при дрессиро́вке соба́к.

Шки́рка — загри́вок (часть ше́и сза́ди) у живо́тного.

Участко́вый — уполномо́ченный поли́ции в Росси́и. Осуществля́ет служе́бную де́ятельность, кото́рая напра́влена на защи́ту прав гра́ждан, прожива́ющих на соотве́тственном администрати́вном уча́стке.

В го́рле встаёт ком *фразеологизм* — о чу́встве боле́зненного стесне́ния в го́рле при си́льном волне́нии.

Запове́дный лес — террито́рия, на кото́рой под охра́ной госуда́рства нахо́дятся живо́тные и расте́ния.

Нового́днее фо́то

Че́тверть — четвёртая часть уче́бного го́да.

Снегови́к — фигу́ра из сне́га, напомина́ющая фигу́ру челове́ка.

Фотоаппара́т «Поларо́ид» — э́тот фотоаппара́т даёт возмо́жность сра́зу по́сле съёмки получи́ть гото́вую цветну́ю фотогра́фию.

В ли́фте

Гру́ппа захва́та — гру́ппа операти́вных рабо́тников о́рганов госуда́рственной безопа́сности, предназна́чена для захва́та госуда́рственных престу́пников.

Кру́глая отли́чница — учени́ца, кото́рая у́чится то́лько на пятёрки.

Жил-был Оне́гин

Оне́гин — Евге́ний Оне́гин, гла́вный геро́й рома́на в стиха́х «Евге́ний Оне́гин» (1823—1831) А.С. Пу́шкина.

Пу́шкин Алекса́ндр Серге́евич (1799—1837) — вели́кий ру́сский поэ́т.

Кла́ссика, **класси́ческая литерату́ра** — лу́чшие литерату́рные произведе́ния, со́зданные изве́стными мировы́ми писа́телями.

Журна́л *здесь:* кла́ссный журна́л, в кото́ром выставля́ются оце́нки ка́ждому ученику́ кла́сса.

Князь Вя́земский Пётр Андре́евич (1792—1878) — ру́сский поэ́т, литерату́рный кри́тик. Князь — в Росси́и до 1917 го́да почётный дворя́нский ти́тул, кото́рый передава́лся по насле́дству.

Дворя́нский, дворяни́н — лицо́, принадлежа́щее к дворя́нству — са́мому привилегиро́ванному сосло́вию (социа́льной гру́ппе люде́й) ца́рской Росси́и.

Дневни́к — тетра́дь для за́писи зада́ний и для выставле́ния оце́нок ученику́.

«Война́ и мир» — рома́н в четырёх тома́х вели́кого ру́сского писа́теля Льва Никола́евича Толсто́го (1828—1910).

По́двиг во и́мя любви́

7 «А» — е́сли в шко́ле не́сколько седьмы́х и́ли каки́х-то други́х одина́ковых кла́ссов, то для их отли́чия присва́иваются бу́квы «А», «Б» и́ли «В».

Стре́лы Аму́ра — си́мвол любви́, поража́ющей челове́ческие сердца́. Аму́р — в анти́чной мифоло́гии бог любви́, изобража́лся в ви́де ма́льчика с лу́ком и стре́лами.

Пу́шкин Алекса́ндр Серге́евич (1799—1837) — вели́кий ру́сский поэ́т.

Гера́кл — геро́й древнегре́ческой мифоло́гии, сын Зе́вса (бо́га не́ба, гро́ма и мо́лний, ве́дающего всем ми́ром). Среди́ многочи́сленных ми́фов о Ге́ра́кле наибо́лее изве́стен цикл сказа́ний о 12 по́двигах.

Евпа́тий Коловра́т (о́коло 1200—1238) — ру́сский во́ин, геро́й Дре́вней Руси́. Когда́ монго́лы напа́ли на Русь, он с во́йском в 1700 челове́к нанёс пораже́ние огро́мному во́йску монго́льских завоева́телей и был уби́т в бою́. По́двиг Евпа́тия Коловра́та стал образцо́м геройи́зма.

Баты́й — монго́льский полково́дец, с огро́мным во́йском возгла́вил похо́д на се́веро-за́падные зе́мли Руси́ в 1237 году́.

Ру́сичи — жи́тели Дре́вней Руси́.

Неме́цкая овча́рка — поро́да соба́к.

Фу! Ря́дом! — кома́нды при дрессиро́вке соба́к.

Задания

Ужасная ночь

Проверьте, как вы поняли текст

Ответьте на вопросы.

1. Что предложил организовать учитель физкультуры?

2. Какого возраста были дети?

3. Почему Петя Мокренко не хотел брать девочек в поход?

4. Почему Антон Данилов бежал до остановки оглядываясь?

5. На сколько дней дети ушли в поход?

6. Что сделал Антон Данилов с ненужными вещами?

7. Почему Петька Мокренко хотел поесть в одиночестве, но не смог?

8. Чем занимались дети в лесу?

9. Как мальчики защищались ночью?

10. Кто напугал ребят?

Отметьте предложения, где написана правда → 𝙿, а где написана неправда → 𝙽.

1. ☐ Учитель физкультуры организовал в школе секцию туризма и предложил детям пойти в поход.

2. ☐ Дети не хотели идти в поход, но учитель заставил их.

3. ☐ Ночью в лесу на детей напал медведь.

Найдите в тексте.

1. Рассказ учителя о секции туризма.

2. Антон Данилов закапывает под елью ненужные вещи.

3. Мальчики рассказывают друг другу страшные истории.

Выполните тест.

Выберите правильный вариант ответа к каждому из заданий и отметьте его в рабочей матрице. Проверьте себя по контрольной матрице. (Ответы смотрите в конце книги.)

Образец:

1. Секцию туризма организовали … .
   (А) летом
   (Б) осенью
   (В) весной

2. Дети пошли в поход … .
   (А) на неделю
   (Б) на два дня
   (В) почти на месяц

3. Петя Мокренко не стал обедать вместе со всеми, потому что … .
   (А) хотел один съесть свои бутерброды
   (Б) у него не было с собой еды
   (В) хотел поиграть с Мухтаром

4. Больше всего на свете Мухтар любил … .
   (А) мясо
   (Б) бульон
   (В) варёную колбасу

5. Школьники поставили ... .
   (А) одну большую палатку
   (Б) две палатки
   (В) три палатки

6. В лесу дети встретились с ... .
   (А) козой
   (Б) медведем
   (В) бандитами

7. Учитель разрешил пострелять из ружья ... .
   (А) только мальчикам
   (Б) только девочкам
   (В) всем

8. Мальчики всю ночь не спали, потому что ... .
   (А) рядом ходил неизвестный зверь
   (Б) они не могли разбудить Андрея Тихоновича
   (В) они рассказывали друг другу страшные истории

Рабочая матрица

1	А	Б	В
2	А	Б	В
3	А	Б	В
4	А	Б	В
5	А	Б	В
6	А	Б	В
7	А	Б	В
8	А	Б	В

Лексико-грамматические задания

1. Выберите правильный вариант употребления падежной формы, неправильный вариант зачеркните.

Образец: Надо **её** / ~~ею~~ поймать и отвести хозяевам!

1. **Ко всему** / **со всем** надо привыкать постепенно.

2. Довольный и сытый Мухтар бежал теперь рядом с **Андрея Тихоновича** / **Андреем Тихоновичем**.

3. Ты бы лучше зайцев искал, чем **ворон** / **воронам** пугать!

4. Катя Сундукова догнала **физкультурнику** / **физкультурника** и пошла рядом с ним.

5. Мальчишки хохотали **с неудачами** / **над неудачами** тех, кто стрелял до них, но никто так и не смог сбить банку.

6. Это даже не секция **туризму** / **туризма**, это школа **выживанию** / **выживания** в естественных условиях! — с интересом рассказывал он на уроке.

2. Выберите глагол несовершенного или совершенного вида, неправильный вариант зачеркните.

Образец: В сентябре учитель физкультуры Андрей Тихонович решил ~~организовывать~~ / **организовать** в школе секцию туризма.

1. Вскоре автобус **останавливался** / **остановился** на краю леса.

2. Андрей Тихонович иногда **поправлял** / **поправил** на плече ружьё и внимательно оглядывал траву: в этой траве он нашёл уже два белых гриба и один подберёзовик.

3. Коля Егоров всё время **смотрел** / **посмотрел** на компас и важно записывал что-то в блокнот, очевидно, воображая себя первопроходцем.

4. Аня Иванова и Катя расстелили на траве скатерть, и все стали **выкладывать / выложить** на неё продукты, чтобы потом честно разделить их.

5. В этот момент Петька **зацеплялся / зацепился** ногой за корень и упал, а подбежавший Мухтар **вырывал / вырвал** у него пакет и утащил куда-то за ёлки.

3. Выберите правильный вариант употребления глаголов движения с приставками, неправильный вариант зачеркните.

Образец: Наконец под утро, когда небо начало уже светлеть, из своей палатки **вышел / пришёл** Андрей Тихонович.

1. Он **подошёл / вошёл** к костру и посмотрел на погасшие угли.

2. Андрей Тихонович **обошёл / перешёл** палатку, посмотрел на что-то и вдруг расхохотался.

3. Первым **отбежал / прибежал** Коля, который, боясь опоздать, поставил себе будильник на четыре часа утра и уже в пять был у школы.

4. На бегу Антон всё время испуганно оглядывался и, когда **прибежал / добежал** до остановки, первым влез в подошедший автобус.

5. Засыпав спрятанные вещи листьями и решив забрать их на обратном пути, Антон в самом хорошем настроении **прибежал / побежал** догонять ребят.

6. Голодный Мухтар почувствовал запах колбасы и **добежал / подбежал** к Петьке.

7. Он вылез, а потом, пока медведь ещё не проснулся, быстро убежал.

8. Думая, что Антон уже не **обойдёт / придёт**, они **ушли / пошли** к остановке автобуса, чтобы ехать в сто-

рону заповедного леса, но вдруг ребята услышали чей-то крик и увидели, что Антон их догоняет.

9. Ребята **вышли / вошли** из автобуса и, помахав знакомому шофёру, зашли / пошли в лес.

10. Оказывается, мы сделали круг и **дошли / вышли** к шоссе!

11. В воскресенье через сколько недель? — уточнил Коля, решивший почему-то, что они **уходят / приходят** в лес почти на месяц.

12. Пробитая дробью сразу во многих местах, банка с грохотом **долетела / слетела** с дерева.

4. Выберите правильный вариант употребления глагола, неправильный вариант зачеркните.

Образец: За палаткой ~~ставила~~ / **стояла** большая чёрная коза с висевшим у неё на шее куском верёвки.

1. После ужина все ещё долго **садились / сидели** у костра и рассказывали друг другу страшные истории.

2. Ребята **садились / сидели** в палатке и слушали, как вокруг ходит и дышит неизвестный зверь.

3. Филька вместе с Антоном начали **ставить / стоять** палатки, а Коля с Петькой пошли в лес за хворостом и дровами.

4. Он отошёл на другой конец поляны, **поставил / стоял** на упавшее дерево пустую банку из-под консервов и, отойдя шагов на тридцать, стал целиться.

5. К тому времени, как в лесу стемнело, на поляне уже горел весёлый костёр, а в стороне, чтобы их не прожгли искры, **стояли / ставили** три палатки: одна большая четырёхместная — для мальчишек, двухместная — для Ани с Катей и одноместная — для Андрея Тихоновича.

5. Заполните пропуски в тексте. Выберите нужное слово, используя слова для справок.

Внимание, 7 «А»! Это даже не секция туризма, это школа выживания в естественных условиях! — с интересом ... он на уроке. — Мы будем ... в походы в лес, ... в палатках, ... костры, ... картошку. Будем учиться ... дорогу с компасом и без компаса, ... шалаши, охотиться! Оружия нам не дадут, но у нас будет моя двустволка. Возможно, я кому-нибудь дам из неё ..., разумеется, при соблюдении мер безопасности, — пообещал Андрей Тихонович.

Слова для справок: находить, ночевать, печь, пострелять, разводить, рассказывать, строить, ходить.

6. Прочитайте список слов. Разделите предметы на нужные в походе и ненужные. Используйте слова для справок.

Слова для справок: термос, топор, кастрюля, шалаш, одеяло, спальный мешок, спички, ружьё, дрова, компас, скатерть, грибы, фляжка.

Дополните список нужными в походе вещами.

7. Подберите синонимы к словам.

Образец: Говорить = беседовать
Ребята = ...
Близко = ...
Большой = ...
Пёс = ...
Родители = ...
Стараться = ...
Снова = ...
Хохотать = ...

Слова для справок: дети, мать и отец, огромный, опять, рядом, пытаться, смеяться, собака.

8. Подберите антонимы к словам.

Образец: День ≠ ночь

Весёлый ≠ ...

Всё время ≠ ...

Живой ≠ ...

Земля ≠ ...

Кричать ≠ ...

Первый ≠ ...

Простой ≠ ...

Садиться ≠ ...

Сытый ≠ ...

Тишина ≠ ...

Толстый ≠ ...

Тут ≠ ...

Слова для справок: вставать, голодный, грустный, мёртвый, молчать, небо, никогда, последний, сложный, там, тонкий, шум.

9. Закончите предложения. Используйте слова для справок.

Образец: Мы будем ходить в походы в ... . — Мы будем ходить в походы в лес.

1. Будем учиться находить дорогу с ... .

2. Андрей Тихонович перезарядил ... и передал его девочкам.

3. Зевнув, он отвинтил крышку плоской солдатской ... и сделал несколько глотков.

4. Андрей Тихонович отправился в свою палатку, залез в ... и вскоре заснул.

5. Филька вместе с Антоном начали ставить ... .

6. Коля с Петькой пошли в лес за хворостом и ... для костра.

Слова для справок: лес, дрова, ружьё, палатки, компас, спальный мешок, фляжка.

10. Определите последовательность действий во время стрельбы. Поставьте в скобках цифры от 1 до 6.

[ ] Выстрелить.

[ ] Зарядить ружьё патронами.

[ ] Перезарядить ружьё.

[ ] Прицелиться.

[ ] Нажать на курок.

[ ] Попасть в мишень.

11. Подберите и запишите однокоренные слова.

Образец: Страх — страшный

Ночь — ...

Охотиться — ...

Поход — ...

12. Прочитайте план текста и продолжите его. Перескажите рассказ по плану.

1. В начале учебного года учитель физкультуры предложил детям организовать секцию туризма.

2. В секцию записались несколько семиклассников.

3. В назначенный день дети собрались у школы и пошли в поход.

4. ...

5. ...

6. ...

13. Расскажите эту историю от лица Ани и Кати; от лица учителя ребят.

14. Давайте обсудим.

1. Как вы думаете, почему рассказ называется «Ужасная ночь»?

2. Оцените поведение Петьки Мокренко во время похода.

3. Что вы думаете о школьных секциях туризма?

4. Как вы считаете, что необходимо человеку в походе? Соберите рюкзак туриста.

5. Назовите плюсы и минусы походов. Приведите примеры.

Дрессировщик

Проверьте, как вы поняли текст

Ответьте на вопросы.

1. Кем захотел стать Коля Егоров?

2. Почему у Коли не было животных?

3. О чём Коля попросил своих одноклассников?

4. Какие трюки с кошками придумал Коля?

5. Зачем Филька рассказал Коле про тараканьи бега?

Отметьте предложения, где написана правда → П, а где написана неправда → Н.

1. ☐ Дети решили дрессировать котов и тараканов.

2. ☐ Животные быстро научились выполнять несложные трюки.

Найдите в тексте.

1. Описание трюков, которые придумал Коля.

2. Рассказ Петьки Мокренко про своего кота.

3. Рассказ Фильки Хитрова о тараканьих бегах.

Выполните тест.

Выберите правильный вариант ответа к каждому из заданий и отметьте его в рабочей матрице. Проверьте себя по контрольной матрице. (Ответы смотрите в конце книги.)

Образец:

| 1 | А | Б | В |

1. Коля Егоров посмотрел по телевидению выступление Куклачёва и решил стать ... .

(А) ветеринаром

(Б) дрессировщиком

(В) клоуном

2. Коля попросил одноклассников принести к нему домой котов, потому что у него дома... .

(А) были рыбки

(Б) были тараканы

(В) не было животных

3. Коля хотел выступать с животными ... .

(А) бесплатно

(Б) за большие деньги

(В) за еду

4. Во время выполнения трюков Коля кормил котов ... .

(А) рыбой

(Б) мясом

(В) сосисками

5. Во время тренировок коты ... .

(А) выполняли все команды

(Б) подрались

(В) ели и спали

6. Антон ушёл со своей Дианой, потому что … .

(А) пожалел животное

(Б) поссорился с одноклассниками

(В) сам решил тренировать кошку

Рабочая матрица

1	А	Б	В
2	А	Б	В
3	А	Б	В
4	А	Б	В
5	А	Б	В
6	А	Б	В

Лексико-грамматические задания

1. Выберите правильный вариант употребления падежной формы, неправильный вариант зачеркните.

Образец: Я о ~~деньгам~~ / **деньгах** пока не думал.

1. Ты сделай бантик из бумаги и попробуй заинтересовать его **бантика** / **бантиком**.

2. Мы его **рыбе** / **рыбой** кормим!

3. Испуганная Диана бросилась под **шкаф** / **шкафом**.

4. У кого есть кошки, принесите их ко мне **в субботу** / **субботе**!

2. Выберите глагол несовершенного или совершенного вида, неправильный вариант зачеркните.

Образец: В субботу в двухкомнатной квартире Егоровых ~~собиралось~~ / **собралось** сразу несколько кошек.

1. Я буду их дрессировать, как Куклачёв. А когда **дрессирую / выдрессирую**, буду выступать с ними по всему миру, — объяснил Коля.

2. Коля много раз **кричал / закричал** «Алле-ап!» и размахивал обручем, но Барон де Круазан не вылез из-под шкафа.

3. Поняв, что с Бароном де Круазаном у него ничего не получится, Коля Егоров **занимался / занялся** Филькиным котом Тимошкой.

3. Выберите правильный вариант употребления глаголов движения с приставками, неправильный вариант зачеркните.

Образец: У кого есть кошки, **принесите /** ~~вынесите~~ их ко мне в субботу!

1. Не интересовала кота и сосиска: Коля **подносил / приносил** её к самому носу Барона, а тот только отворачивался.

2. Рита схватила своего Барона фон Круазана и **выбежала / прибежала** с ним из комнаты.

3. Петька хотел остаться, но его кот Васька воспользовался тем, что входная дверь была открыта, **отбежал / убежал** на лестницу.

4. Коля с сомнением посмотрел на Фильку, а потом быстро схватил спичечный коробок и **побежал / перебежал** искать тараканов.

5. Какой таракан первым **придёт / подойдёт** к финишу, тот и победил.

4. Заполните пропуски в тексте. Выберите нужное слово.

В этот момент грузовичок столкнулся с … стула, под которым сидел Барон де Круазан, и упал. Испуганная Диана бросилась под шкаф. Барон де Круазан, перепугавшийся не меньше, чем она, прыгнул на подоконник и свалил два горшка с цветами. Кот Тимошка, приняв это за нападение, выгнул ..., зашипел и бросился на перса. Вначале коты обменялись ударами передних ..., а потом упали на ... и стали драть друг другу животы ... задних лап. Они скатились с подоконника и продолжали драться уже на полу.

Слова для справок: бок, лапа, когти, ножка, спина.

5. Подберите синонимы к словам.

Образец: Простите = извините
Юный = ...
Идиотский = ...
Красивый = ...
Навеки = ...
Немедленно = ...
Крупный =...
Слова для справок: большой, глупый, молодой, навсегда, симпатичный, сию минуту.

6. Подберите антонимы к словам.

Образец: Чёрный ≠ белый
Первый ≠ ...
Умный ≠ ...
Живой ≠ ...
Пустой ≠ ...
Задний ≠ ...
Беспородный ≠ ...
Простой ≠ ...
Быстрый ≠ ...
Слова для справок: глупый, последний, медленный, мёртвый, передний, полный, породистый, сложный.

7. Подберите и запишите однокоренные слова.

Образец: Драка — драться
Дрессировщик — ...
Таракан — ...
Игрушечный — ...

8. Прочитайте план текста и продолжите его. Перескажите рассказ по плану.

1. Однажды Коля Егоров увидел выступление известного дрессировщика кошек и решил дрессировать животных.

2. У Коли не было животных, и он попросил кошек у своих одноклассников.

3. В субботу дети пришли к Коле и принесли своих котов.

4. ...

5. ...

6. ...

9. Расскажите эту историю от лица Фильки Хитрова.

10. Давайте обсудим.

1. Что вы думаете о профессии дрессировщика?

2. Как вы считаете, каких животных можно дрессировать? Кого можно назвать капризным животным?

3. Опишите характер дрессировщика.

4. Хотели бы вы стать дрессировщиком? Почему?

Волчонок

Проверьте, как вы поняли текст

Ответьте на вопросы.

1. Как волчонок попал к Фильке?

2. Почему родители разрешили Фильке взять волчонка?

3. Как Филька приручал волчонка?

4. Что думал Филька о зоопарках?

5. Почему Фильке пришлось отвести Чёрные Уши в лес?

Отметьте предложения, где написана правда → $\boxed{П}$, а где написана неправда → $\boxed{Н}$.

1. ☐ Семья Фильки давно хотела иметь волка у себя в доме.

2. ☐ Филька назвал волчонка Чёрные Уши.

3. ☐ Папа посоветовал Фильке отвести волчонка в лес.

Найдите в тексте.

1. Описание внешнего вида волчонка.

2. Встреча Чёрных Ушей с Мухтаром.

3. Сцена прощания Фильки с Чёрными Ушами.

Выполните тест.

Выберите правильный вариант ответа к каждому из заданий и отметьте его в рабочей матрице. Проверьте себя по контрольной матрице. (Ответы смотрите в конце книги.)

Образец:

1	А	Б	В

1. Действие рассказа происходит … .

(А) в зоопарке

(Б) в посёлке

(В) в городе

2. Знакомый Фильки подарил мальчику ... .
   (А) собаку
   (Б) волка
   (В) кота

3. Желание Фильки взять себе животное дядю Женю
   ... .
   (А) удивило
   (Б) расстроило
   (В) обрадовало

4. Филька обещал маме, что ... .
   (А) отдаст волчонка в зоопарк
   (Б) отнесёт волчонка в лес
   (В) сам будет заботиться о волке

5. Волк, по мнению Фильки, отличается от собаки тем, что надеется ... .
   (А) на других волков
   (Б) на себя
   (В) на хозяина

6. Участковый потребовал Чёрные Уши ... .
   (А) увезти куда-нибудь
   (Б) убить
   (В) отвезти в зоопарк

7. Филька был против зоопарков, потому что там ... .
   (А) плохо кормят животных
   (Б) убивают животных
   (В) у животных нет свободы

8. Отпуская Чёрные Уши, Филька попросил его ... .
   (А) не подходить к людям
   (Б) не бояться людей
   (В) однажды вернуться

Рабочая матрица

1	А	Б	В
2	А	Б	В
3	А	Б	В
4	А	Б	В
5	А	Б	В
6	А	Б	В
7	А	Б	В
8	А	Б	В

Лексико-грамматические задания

1. Выберите правильный вариант употребления падежной формы, неправильный вариант зачеркните.

Образец: Собака зависит от ~~человеку~~ / человека.

1. Конечно, Фильке сразу стало казаться, что он всегда мечтал о **волчонка** / **волчонке**.

2. Он поджал хвост и вдруг щёлкнул **зубам** / **зубами**.

3. «Не очень-то я **тебе** / **тебя** верю!» — сказала мама и ушла на кухню.

4. Нужно было дать **малыша** / **малышу** имя, и Хитров назвал его Чёрные Уши.

2. Выберите глагол несовершенного или совершенного вида, неправильный вариант зачеркните.

Образец: Он схватил рюкзак и стал **благодарить** / ~~поблагодарить~~ дядю Женю.

1. Филька долго **смотрел** / **посмотрел** на его следы на снегу, а после бросил ошейник в снег и пошёл к посёлку.

2. Наконец он **открывал / открыл** дверь, и они с Колей вбежали в квартиру.

3. Однажды, когда Филька поднимался с Чёрными Ушами по лестнице, соседка снизу стала **кричать / закричать** на волчонка и замахнулась на него палкой, а он вцепился ей зубами в шубу.

4. Но мальчик не ударил его и не закричал, и постепенно волчонок стал к нему **привыкать / привыкнуть**.

3. Выберите правильный вариант употребления глаголов движения с приставками, неправильный вариант зачеркните.

Образец: Мимо **проехал / ~~наехал~~** грузовик, пролетела сорока с длинным хвостом, прошла женщина с сумкой, проехал на трёхколёсном велосипеде ребёнок, из окна напротив звучала громкая музыка.

1. Они **подошли / перешли** к одноэтажному кирпичному дому.

2. «Не очень-то я тебе верю!» — сказала мама и **вышла / ушла** на кухню.

3. Филька уже собирался возвращаться домой, как вдруг из соседнего подъезда **зашла / вышла** его одноклассница Анька Иванова, ведя на поводке Мухтара, крупную немецкую овчарку.

4. Мальчик и волк **вышли / вошли** из посёлка и отправились к лесу.

5. Охотник просил Фильку подождать, а сам на несколько минут **зашёл / пришёл** в дом и **вынес / перенёс** старый рюкзак.

6. В первый день прогулки Филька только дважды **обошёл / зашёл** с волчонком вокруг дома.

7. Филька **пошёл** / **обошёл** на кухню, вытащил из холодильника небольшой кусок мяса и принёс его в комнату.

8. Днём Чёрные Уши обычно сидел под кроватью, а ночью решался **прибежать** / **добежать** до батареи или до шкафа.

4. Выберите правильный вариант употребления глагола, неправильный вариант зачеркните.

Образец: В кухне на столе **сидел** / ~~сел~~ белый с чёрным кот.

1. Захлопнув дверь, он **постоял** / **поставил** рюкзак на пол и осторожно развязал его.

2. Хитров ожидал, что волчонок сразу выскочит, но рюкзак **стоял** / **ставил** спокойно.

3. Волчонок уже не **садился** / **сидел** под стулом, наверное, подумал, что это место слишком опасное, и спрятался под кроватью.

4. Хитров сразу убедился, что родительские тапочки **ставят** / **стоят** на полу рядом с вешалкой, и легко вздохнул.

5. Выберите правильный вариант употребления союза, союзного слова, неправильный вариант зачеркните.

Образец: Соседи по подъезду требуют, ~~что~~ / **чтобы** мы избавились от него.

1. Филька и раньше читал, **что** / **чтобы** обычные собаки ненавидят волков, но никогда не понимал почему.

2. Филька понял, что, **пока** / **потому что**, Мухтар видит волчонка, он не успокоится и не даст им слезть с дерева.

101

3. По ночам, **хотя / если** в окне была видна луна, волчонок поднимал морду, приоткрывал пасть и пытался выть.

4. Он стал ходить по комнате, а потом, **если / как** и его сын в трудные минуты, прижался лбом к холодному стеклу.

6. Заполните пропуски в тексте. Выберите нужное слово.

Сапог покачнулся и упал на волчонка. Заскулив, Чёрные Уши, не помня себя от страха, ... по коридору и оказался на кухне. В кухне на столе ... белый с чёрным кот. Увидев волчонка, он выгнул спину и ..., а после спрыгнул со стола и, боком подскочив к волчонку, ... его лапой.

Чёрные Уши испугался и хотел убежать, но оказалось, что дверь за ним захлопнулась от сквозняка. Поняв, что отступать некуда, волчонок прищурился и, когда кот снова хотел ударить его лапой, толкнул его мордой и ... в плечо. Пасть у малыша сразу наполнилась шерстью, и ему стало бы плохо, но кот оказался большим трусом. Он отскочил, прыгнул на раковину и начал оттуда шипеть, но больше не нападал.

Поняв, что победил, Чёрные Уши с гордостью отправился под стол. Обнаружив под столом кошачью миску, он ... кусок рыбы и ... всё молоко.

Слова для справок: выпить, зашипеть, побежать, сидеть, съесть, ударить, укусить.

7. Подберите синонимы к словам.

Образец: Пища = еда

Глупый = ...

Непросто = ...

Медленно = ...

Скоро = ...

Слова для справок: неумный, с минуты на минуту, нелегко, не спеша.

8. Подберите антонимы к словам.

Образец: Густой ≠ редкий

Близко ≠ ...

Быстро ≠ ...

Громкий ≠ ...

Ранний ≠ ...

Темно ≠ ...

Тёмный ≠ ...

Слова для справок: медленно, светло, далеко, поздний, светлый, тихий.

9. Подберите и запишите однокоренные слова.

Образец: Восторг = восторгаться

Охотник — ...

Подарок — ...

10. Прочитайте план текста и продолжите его. Перескажите рассказ по плану.

1. Однажды знакомый охотник подарил Фильке Хитрову волчонка.

2. Филька принёс волчонка домой и стал приручать.

3. Родителей Филька обманул, сказав, что принёс в дом собаку.

4. ...

5. ...

6. ...

11. Расскажите эту историю от лица родителей Фильки.

12. Давайте обсудим.

1. Что вы думаете о подарке, вручённом Фильке Хитрову?

2. Что бы вы сделали, получив такой подарок?

3. Оцените поведение Фильки Хитрова в различных ситуациях: обман родителей, воспитание волка, прощание с волком.

4. Правильно ли сделал Филька, не отправив волка в зоопарк?

5. Согласны ли вы с мнением Фильки о зоопарках? Что вы думаете о зоопарках?

Новогоднее фото

Проверьте, как вы поняли текст

Ответьте на вопросы.

1. Как зовут главных героев рассказа?

2. О чём поспорили ребята?

3. Зачем девочка пригласила мальчика к себе на Новый год?

4. Почему девочка надеялась, что мальчик забудет о споре?

5. Как мальчик боролся со сном?

6. Чьё изображение было на фотографии?

Отметьте предложения, где написана правда → П, а где написана неправда → Н.

1. ☐ Дети были уверены, что Деда Мороза не существует.

2. ☐ Катя боялась проиграть в споре Антону.

3. ☐ Антон обещал Кате в случае проигрыша в споре велосипед.

Найдите в тексте.

1. Катя рассказывает о споре маме.
2. Поведение Антона в доме Кати.

Выполните тест.

Выберите правильный вариант ответа к каждому из заданий и отметьте его в рабочей матрице. Проверьте себя по контрольной матрице. (Ответы смотрите в конце книги.)

Образец:

1	А	Б	В

1. События рассказа происходят ... .
   (А) летом
   (Б) осенью
   (В) зимой

2. Антон и Катя ... .
   (А) одноклассники
   (Б) брат и сестра
   (В) малознакомые люди

3. Антон был уверен, что подарки на Новый год ... .
   (А) приносит Снеговик
   (Б) приносит Дед Мороз
   (В) приносят родители

4. Антон пришёл к Кате ... .
   (А) поесть пирогов и салатов
   (Б) караулить Деда Мороза
   (В) встретить Новый год с подругой

5. Антон пришёл к Кате ... .
   (А) с подарком
   (Б) с ёлкой
   (В) с фотоаппаратом

6. На фотографии было изображение ... .
   (А) Деда Мороза
   (Б) пустой комнаты
   (В) ёлки

Рабочая матрица

1	А	Б	В
2	А	Б	В
3	А	Б	В
4	А	Б	В
5	А	Б	В
6	А	Б	В

Лексико-грамматические задания

1. Выберите правильный вариант употребления падежной формы, неправильный вариант зачеркните.

Образец: Катю, верившую в **новогодние чудеса /** ~~новогодними чудесами~~, слова приятеля обидели.

1. Должен же я набраться сил, чтобы всю ночь караулить **Деда Мороза / Деду Морозу**!

2. Антон помахал **руку / рукой** перед носом у Кати и убедился, что та действительно спит.

106

3. Ёлка светилась **разноцветную гирлянду** / **разноцветной гирляндой**.

4. На снимке напротив **ёлки** / **ёлкой** стоял добродушно улыбающийся старик с большим мешком за плечами.

2. Выберите глагол несовершенного или совершенного вида, неправильный вариант зачеркните.

Образец: Но в этот момент из фотоаппарата начала медленно **выползать** / ~~выползти~~ карточка.

1. В последний день второй четверти Катя Сундукова и Антон Данилов стояли на остановке и **ждали** / **подождали** троллейбус.

2. Катя смотрела на отъезжающий троллейбус и размышляла, ей не хотелось **отдавать** / **отдать** новые роликовые коньки.

3. Часа в два ночи, когда родители Кати пошли спать, Антон **доставал** / **достал** фотоаппарат «Полароид» и сел у ёлки.

4. Данилов стал **оборачиваться** / **обернуться** к ёлке, но в этот момент сверкнула фотовспышка, и «Полароид», висевший у мальчика на шее, сам щёлкнул.

3. Выберите правильный вариант употребления глаголов движения с приставками, неправильный вариант зачеркните.

Образец: Новый год послезавтра! Дед Мороз подарки ~~вынесет~~ / **принесёт**!

1. Положат подарочки, а потом утром скажут, что это он **приходил** / **отходил**.

2. Она взяла калькулятор и, разделив численность населения Земли на количество секунд в ночи, выяснила, что если Дед Мороз действительно **придёт** /

обойдёт всех детей мира за одну ночь, ему придётся посетить триста сорок тысяч детей в секунду, а это много даже для сказочного героя.

3. Часа в два ночи, когда родители Кати **пошли / зашли** спать, Антон достал фотоаппарат «Полароид» и сел у ёлки.

4. Выберите правильный вариант употребления союза, союзного слова, неправильный вариант зачеркните.

Образец: Ничего не обещало, **что / ~~чтобы~~** Дед Мороз должен прийти.

1. В половине пятого он решил разбудить Катю и сказать, что Дед Мороз не приходил, **потому что / поэтому** пусть она отдаёт ему роликовые коньки.

2. От природы подозрительный, он решил, **чтобы / что** в комнату сейчас войдёт какой-нибудь родственник Сундуковой в красной шубе и с искусственной бородой.

3. Этого старика ни с кем нельзя было перепутать, **потому что / поэтому** у него была длинная седая борода, ниже пояса.

4. **Если / Так как** я проиграю, ты получаешь мой горный велосипед! — сказал он, издевательски протягивая ладонь.

5. Выберите правильный вариант употребления местоимения, неправильный вариант зачеркните.

Образец: **Кто-нибудь / ~~Кое-кто~~** когда-нибудь живого Деда Мороза видел?

1. Неожиданно послышался **какой-то / какой-нибудь** шорох, гирлянда на ёлке стала мигать чаще, а дверь в коридор приоткрылась.

2. От природы подозрительный, он решил, что в комнату сейчас войдёт **какой-нибудь / кое-какой**

родственник Сундуковой в красной шубе и с искусственной бородой.

6. Подберите синонимы к словам.

Образец: Явиться = прийти

Размышлять = ...

Рассказать = ...

Посетить = ...

Разрешить = ...

Слова для справок: думать, зайти, позволить, сообщить.

7. Подберите антонимы к словам.

Образец: Глупый ≠ умный

Засыпать ≠ ...

Новый ≠ ...

Открываться ≠ ...

Праздничный ≠ ...

Прощаться ≠ ...

Разный ≠ ...

Слова для справок: закрываться, здороваться, одинаковый, просыпаться, старый, будничный.

8. Подберите и запишите однокоренные слова.

Образец: Усмешка — смеяться

Хлопнуть — ...

Щёлкнуть — ...

Скрипнуть — ...

9. Прочитайте план текста и продолжите его. Перескажите рассказ по плану.

1. Катя Сундукова и Антон Данилов накануне Нового года поспорили: Антон считал, что подарки под ёлку кладут родители, а Катя с ним не соглашалась.

2. Катя пригласила Антона к себе домой, чтобы показать Деда Мороза.

3. О своём споре с Антоном Катя рассказала маме.

4. ...

5. ...

6. ...

10. Расскажите эту историю от лица Кати Сундуковой.

11. Давайте обсудим.

1. Как вы думаете, должны ли дети верить в существование Деда Мороза и сказочных героев? Объясните свою точку зрения.

2. Как вы относитесь к спорам? Любите ли вы спорить? Если спорите, то на что?

3. Расскажите, как в детстве вы ждали подарки на Новый год.

В лифте

Проверьте, как вы поняли текст

Ответьте на вопросы.

1. Что решили сделать мальчики, увидев двадцатипятиэтажный дом?

2. Почему мальчики не смогли выйти на крышу дома?

3. Какую игру в лифте придумал Филька?

4. Кто нашёл Филькин рюкзак?

5. Почему девочка была в инвалидной коляске?

6. Что предложил Филька Насте?

Отметьте предложения, где написана правда → П, а где написана неправда → Н.

1. ☐ Настя была двоечницей, а Филипп отличником.

2. ☐ После школы семиклассники решили покататься на лифте в многоэтажном доме.

3. ☐ Во время игры школьников лифт сломался.

Найдите в тексте.

Какие игры придумали мальчики.

Выполните тест.

Выберите правильный вариант ответа к каждому из заданий и отметьте его в рабочей матрице. Проверьте себя по контрольной матрице. (Ответы смотрите в конце книги.)

Образец:

| 1 | А | Б | В |

1. Подняться на крышу дома ... .
   (А) захотели все мальчики
   (Б) мальчики побоялись
   (В) согласились все мальчики, кроме Антона

2. Когда недовольные жильцы стали стучать в двери лифта, ребята решили ... .
   (А) убежать из высотки
   (Б) подождать на лестнице между этажами
   (В) спрятаться в квартире Насти

3. Игру в лифте пришлось прекратить из-за ... .
   (А) появления полиции
   (Б) потери рюкзака
   (В) музыкальных занятий Антона

4. Девочка, услышав о игре мальчиков в лифте, ...
   (А) возмутилась
   (Б) стала ругаться
   (В) вздохнула с завистью

5. Настя, возможно, тоже хотела бы побегать с мальчиками по лестнице, но ... .
   (А) она не ходила
   (Б) ей не разрешала бабушка
   (В) она считала это занятие глупым

6. Настя училась ... .
   (А) дома
   (Б) в другом городе
   (В) в одной школе с Филькой

7. Филька предложил Насте вместе ... .
   (А) ходить в школу
   (Б) делать уроки
   (В) играть

8. Настя училась ... .
   (А) лучше Фильки
   (Б) хуже Фильки
   (В) так же как Филька

Рабочая матрица

1	А	Б	В
2	А	Б	В
3	А	Б	В
4	А	Б	В
5	А	Б	В
6	А	Б	В
7	А	Б	В
8	А	Б	В

Лексико-грамматические задания

1. Выберите правильный вариант употребления падежной формы, неправильный вариант зачеркните.

Образец: Ты в **неё** / ~~ней~~ влюбился?

1. Если та команда, которая на этажах, поймает ту, которая в лифте, команды меняются **местам** / **местами**.

2. Он ожидал, что девочка будет возмущаться и ругать **их** / **ими**, как ругали те люди внизу, но она только вздохнула с лёгкой завистью.

3. **Тебе** / **Ты** лечиться надо!

4. **Лифта** / **Лифтом** он снова не стал пользоваться: ему вдруг захотелось пробежаться.

2. Выберите глагол несовершенного или совершенного вида, неправильный вариант зачеркните.

Образец: Он поднял голову и ~~понимал~~ / **понял**, что колесо принадлежало инвалидной коляске.

1. Верёвка оборвалась, а я упала с третьего этажа на спину и **ломала** / **сломала** позвоночник.

2. Филька носился и подкарауливал лифт на всех этажах, но каждый раз **опаздывал** / **опоздал**.

3. Иногда между этажами они **нажимали** / **нажали** кнопку «стоп» и начинали хохотать.

4. Хорошо ещё, что Коля Егоров успел **нажать** / **нажимать** на «стоп», прежде чем лифт полностью остановился.

5. Филька вышел из лифта и, размышляя о своём невезении, стал **подниматься** / **подняться** по лестнице.

3. Выберите правильный вариант употребления глаголов движения с приставками, неправильный вариант зачеркните.

Образец: Ребята повернулись и **пошли** / ~~дошли~~ к подъезду.

1. Когда они **проходили** / **заходили** мимо двадцатипятиэтажного дома, Коля остановился и стал смотреть вверх.

2. Отсюда они собирались **выйти** / **прийти** на крышу, но их ожидало разочарование.

3. Филька бросился к ним, но не успел. Мокренко мгновенно убрал ногу, Коля нажал на кнопку, и хохочущий лифт **переехал** / **уехал**.

4. Значит, нужно будет **прийти** / **обойти** пешком все двадцать пять этажей и искать мой рюкзак.

5. Ко мне учителя домой **заходят** / **приходят**, дают задание, учебники приносят, а потом проверяют.

6. **Отбежав** / **Сбежав** с двенадцатого этажа, Филька устал.

7. Семиклассники **пришли** / **зашли** в лифт и нажали кнопку двадцать пятого этажа.

8. Когда они с Филькой вышли из лифта, Коля, показав им язык, нажал на кнопку и лифт **уехал** / **заехал** вверх.

4. Выберите правильный вариант употребления союза, союзного слова, неправильный вариант зачеркните.

Образец: Он будет отъезжать на два-три этажа и дразнить нас, ~~что~~ / **чтобы** закрыть дверь в последнюю секунду.

1. Хорошо ещё, **что** / **чтобы** Коля Егоров успел нажать на «стоп», прежде чем лифт полностью остановился.

2. Врачи говорят, **что / чтобы** я не отчаивалась, но я думаю, что они меня успокаивают. Я ведь даже не чувствую ног.

3. **Когда / Так как** я училась во втором классе, меня не пустили гулять и закрыли в комнате на ключ.

4. Я бы тоже, наверное, поиграла, **если / потому что** бы смогла, — сказала она.

5. Выберите правильный вариант употребления местоимения, неправильный вариант зачеркните.

Образец: До четвёрки ~~как-то~~ / как-нибудь дотянем! — великодушно пообещал Филька.

1. Наверное, ты его **где-нибудь / кое-где** забыл, когда мы по этажам бегали, — сказал Антон.

2. **Что-то / Что-либо** там не срослось...

3. Голос девочки звучал как натянутая струна, а сама она смотрела **куда-нибудь / куда-то** вниз, и Филька понял, что ей тяжело рассказывать.

4. **Где-то / Где-нибудь** на уровне восьмого этажа ему встретился Антон, но, увидев Хитрова, он сразу отвернулся в другую сторону: видно было, что обижен.

6. Заполните пропуски в тексте. Выберите нужное слово.

Когда я ... во втором классе, меня не пустили гулять и ... в комнате на ключ. Тогда я назло родителям решила ... по верёвке. Верёвка оборвалась, а я ... с третьего этажа на спину и ... позвоночник. Что-то там не срослось... В общем, с тех пор я не хожу.

Слова для справок: закрыть, сломать, спуститься, упасть, учиться.

7. Подберите синонимы к словам.

Образец: Двойка = два (балла)

Задание = ...

Здорово = ...

Надо = ...

Несчастье = ...

Собираться = ...

Четвёрка = ...

Слова для справок: нужно, отлично, хотеть, горе, урок, четыре (балла).

8. Подберите антонимы к словам.

Образец: Подниматься ≠ спускаться

Больной ≠ ...

Вниз ≠ ...

Вперёд ≠ ...

Толстый ≠ ...

Успеть ≠ ...

Широкий ≠ ...

Слова для справок: вверх, назад, опоздать, здоровый, узкий, тонкий.

9. Подберите и запишите однокоренные слова.

Образец: Пожарный — пожар

Радость — ...

Инвалид — ...

Дружить — ...

10. Прочитайте план текста и продолжите его. Перескажите рассказ по плану.

1. Однажды семиклассников отпустили домой на два урока раньше.

2. Дети пошли гулять и решили подняться на крышу двадцатипятиэтажного дома.

3. В высотке мальчики стали кататься на лифте.

4. ...

5. ...

6. ...

11. Расскажите историю знакомства с мальчиками от лица Насти.

12. Давайте обсудим.

1. Как вы оцениваете развлечения школьников в лифте?

2. Как вы можете оправдать слова Антона о Насте?

3. Предположите, станут ли Настя и Филька друзьями.

Жил-был Онегин

Проверьте, как вы поняли текст

Ответьте на вопросы.

1. Почему Филька пообещал выучить роман «Евгений Онегин» наизусть?

2. Зачем Фильке понадобился магнитофон с микрофоном?

3. Какую оценку ожидал получить Филька?

4. Что поставил Фильке Максим Александрович?

Отметьте предложения, где написана правда → $\boxed{П}$, а где написана неправда → $\boxed{Н}$.

1. ☐ Филька очень любил читать, поэтому выучил роман в стихах А.С. Пушкина.

2. ☐ Филька был уверен, что Максим Александрович не узнает про магнитофон.

3. ☐ Филька получил четвёрку по литературе.

Найдите в тексте.

1. Филька рассуждает о литературе и чтении.

2. Филька придумал, как выполнить обещание, данное учителю.

Выполните тест.

Выберите правильный вариант ответа к каждому из заданий и отметьте его в рабочей матрице. Проверьте себя по контрольной матрице. (Ответы смотрите в конце книги.)

Образец:

1	А	Б	В

1. Филька не читал книги, потому что ... .

   (А) не умел читать

   (Б) у него не было времени читать

   (В) не любил читать

2. Филька не выучил отрывок из «Евгения Онегина», потому что ... .

   (А) думал, что его не спросят

   (Б) забыл о домашнем задании

   (В) не знал, что надо было учить текст

3. Филька сказал Максиму Александровичу, что выучит ... .

   (А) отрывок из романа «Евгений Онегин»

   (Б) тридцать страниц романа «Евгений Онегин»

   (В) весь текст «Евгения Онегина»

4. Учитель за обман пообещал поставить Фильке ... .

   (А) двойку

(Б) четыре двойки

(В) десять двоек

5. Приятель Фильки Коля Егоров посоветовал Фильке ... .

(А) выучить текст

(Б) притвориться больным

(В) извиниться перед учителем за обман

6. Филька получил четвёрку, потому что ... .

(А) выучил «Евгения Онегина»

(Б) прочитал всего «Евгения Онегина»

(В) выучил отрывок из «Евгения Онегина».

Рабочая матрица

1	А	Б	В
2	А	Б	В
3	А	Б	В
4	А	Б	В
5	А	Б	В
6	А	Б	В

Лексико-грамматические задания

1. Выберите правильный вариант употребления падежной формы, неправильный вариант зачеркните.

Образец: А если притвориться ~~больного~~ / **больным**?

1. Рассуждая так, Филька внимательно наблюдал за **Максима Александровича** / **Максимом Александровичем**.

2. «Поверил! Получилось!» — радовался Филька, подмигивая **ребятам** / **ребятами** в классе.

3. Что, Хитров, думал обмануть **мне** / **меня**?

2. Выберите глагол несовершенного или совершенного вида, неправильный вариант зачеркните.

Образец: Александр Сергеевич Пушкин родился в 1799 году и вскоре **писал** / **написал** замечательный шедевр русской словесности — «Евгения Онегина».

1. Ты не мог бы **повторять** / **повторить** то, что ты сейчас сказал, — попросил Максим Александрович. — Что-то я плохо слышу.

2. Лучше я спрячу себе под свитер магнитофон на батарейках и незаметно **включаю** / **включу** его.

3. Филька **брал** / **взял** у Коли магнитофон и в оставшиеся дни начитал на него всего «Евгения Онегина».

4. Филька **показывал** / **показал** Кольке язык и нажал на кнопку выключения.

3. Выберите правильный вариант употребления глаголов движения с приставками, неправильный вариант зачеркните.

Образец: «Ну вот, попался!» — грустно подумал Филька, но к доске всё же ~~дошёл~~ / **вышел**.

1. Через неделю Максим Александрович **перешёл** / **вошёл** в класс и, весело взглянув на Фильку, сказал: «Я думал, Хитров, что ты не **придёшь** / **войдёшь** на урок».

2. Филька **вышел** / **пришёл** к доске и громко объявил: «"Евгений Онегин". Роман в стихах».

3. Он **вошёл** / **подошёл** к учительскому столу и подал дневник.

4. Получив обратно дневник, Филька **вышел** / **пошёл** на своё место.

4. Выберите правильный вариант употребления союза, союзного слова, неправильный вариант зачеркните.

Образец: И потом получится, **что** / ~~чтобы~~ я как будто струсил.

1. Хитров, если ты думаешь, **что** / **чтобы** ты тут самый умный, то ошибаешься.

2. Я не читаю сейчас отрывок, **если** / **потому что** учу всего «Евгения Онегина»!

3. **Когда** / **Так как** до конца урока осталась всего минута, Максим Александрович остановил его.

5. Вспомните правила употребления возвратных глаголов. Выполните задание по образцу.

Образец: Разве он может **выразить** / ~~выразиться~~ всю прелесть шедевра русской словесности?

1. Я не держал в руках книги? Да я тысячу книг в руках держал, если не больше! — **возмутил** / **возмутился** Филька.

2. Ручка **остановила** / **остановилась** в трёх миллиметрах от журнала.

3. Он думал, думал, думал и чувствовал, что голова у него **раздувает** / **раздувается** как воздушный шар.

4. Я хочу «Евгения Онегина» на диск **записать** / **записаться**.

5. Скоро мы будем изучать роман «Война и мир», и ты будешь **учить** / **учиться** его тоже наизусть.

6. Заполните пропуски в тексте. Выберите нужное слово.

— Ничего ты не понял, — заявил Филька. — Я тоже об этом думал, но этот фокус не получится. Наушник Максим Александрович заметит. Лучше я ...

себе под свитер магнитофон на батарейках и незаметно ... его. Я всё продумал. Если правильно встать, то от своего стола Максим Александрович будет ... только одно моё ухо и часть щеки.

— А губы?

— Что губы? Губы ему со своего места не видно. Но на всякий случай я, конечно, буду ими ... . Если правильно всё сделать, Максим Александрович ничего не заметит, а ребята не скажут.

Филька взял у Коли магнитофон и в оставшиеся дни ... на него всего «Евгения Онегина».

Слова для справок: видеть, включить, начитать, спрятать, шевелить.

7. Подберите синонимы к словам.

Образец: Приятель = друг

Наблюдать = ...

Спасти = ...

Спешить = ...

Учитель = ...

Слова для справок: помочь, преподаватель, смотреть, торопиться.

8. Подберите антонимы к словам.

Образец: Хорошо ≠ плохо

Больше ≠ ...

Быстро ≠ ...

Громко ≠ ...

Грустно ≠ ...

Слова для справок: весело, медленно, меньше, тихо.

9. Подберите и запишите однокоренные слова.

Образец: Остановиться — остановка

Спасти — ...

Читать — ...

Струсить — ...

10. Прочитайте план текста и продолжите его. Перескажите рассказ по плану.

1. Однажды Фильке Хитрову надо было выучить отрывок из «Евгения Онегина».

2. Филька пришёл на урок, надеясь, что учитель его не спросит, но Максим Александрович вызвал его к доске.

3. Филька высказал мнение, что отрывок не может выразить всю прелесть шедевра русской словесности, и сообщил учителю, что выучит весь роман в стихах.

4. ...

5. ...

6. ...

11. Расскажите эту историю от лица учителя Максима Александровича.

12. Давайте обсудим.

1. Как бы вы поступили, если бы оказались на месте Фильки: на уроке с несделанным домашним заданием?

2. Оцените изобретение Фильки.

3. Расскажите, как наказывали учителя учеников в вашей школе за невыученные уроки.

Подвиг во имя любви

Проверьте, как вы поняли текст

Ответьте на вопросы.

1. Как познакомились Филька Хитров и Аня Иванова?

2. Как Хитров добивался сердца Ани?

3. Что посоветовал Фильке дедушка?

4. Что придумал Филька? Как он решил обратить на себя внимание Ани?

5. Почему всё-таки девочка согласилась дружить с Хитровым и даже пригласила его в гости?

Отметьте предложения, где написана правда → П, а где написана неправда → Н.

1. ☐ Все мальчики 7«А» влюбились в Аню Иванову.

2. ☐ Ане нравился Филька Хитров, но внешне она была равнодушной, так как хотела помучить Фильку.

3. ☐ Дедушка Фильки считал, что лучший способ понравиться девочке — это совершить подвиг.

Найдите в тексте.

1. Описание момента знакомства Фильки и Ани.

2. Содержание статьи энциклопедии, которую читал Филька.

3. Филька защищает девочку от собаки.

Выполните тест.

Выберите правильный вариант ответа к каждому из заданий и отметьте его в рабочей матрице. Проверьте себя по контрольной матрице. (Ответы смотрите в конце книги.)

Образец:

| 1 | А | Б | В |

1. Аня Иванова и влюблённый в неё Филька Хитров учились ... .
   (А) в разных школах
   (Б) в разных классах
   (В) в одном классе

2. От несчастной любви Филька ... .
   (А) стал плохо учиться
   (Б) поссорился с друзьями
   (В) похудел

3. Филька решил узнать у дедушки, как понравиться Ане, а тот посоветовал внуку ... .
   (А) совершить подвиг
   (Б) подарить цветы
   (В) написать стихотворение

4. Филька стал читать энциклопедию, потому что не знал, что такое ... .
   (А) войско Батыя
   (Б) подвиг
   (В) любовь

5. Петька Мокренко хотел выкинуть в окно Анин рюкзак, потому что ... .
   (А) об этом его попросил Филька
   (Б) девочка ему нравилась
   (В) девочка ему не нравилась

6. Филька Ане … .

(А) никогда не нравился

(Б) когда-то нравился

(В) уже давно нравился

7. Собака, которая опрокинула Фильку, была собакой … .

(А) Фильки

(Б) Ани

(В) соседей Ани

8. Фильке было стыдно, что он … .

(А) спрятался от собаки

(Б) не смог защитить Аню

(В) оставил Аню на улице одну

Рабочая матрица

1	А	Б	В
2	А	Б	В
3	А	Б	В
4	А	Б	В
5	А	Б	В
6	А	Б	В
7	А	Б	В
8	А	Б	В

Лексико-грамматические задания

1. Выберите правильный вариант употребления падежной формы, неправильный вариант зачеркните.

Образец: Филька ловко увернулся и ударил Петьку ~~кулака~~ / **кулаком** в живот.

1. Их знакомство началось с того, что Филька в **неё** / **ней** сразу влюбился.

2. Я **тебя** / **тебе** хотела объяснить, но не успела, — сказала Иванова.

3. Но вместо того, чтобы восхититься **героя** / **героем**, Аня постучала себя пальцем по лбу и прошла за свою парту.

4. Ты давно мне нравился, но я хотела **тебя** / **тобой** немножко помучить.

2. Выберите глагол несовершенного или совершенного вида, неправильный вариант зачеркните.

Образец: На этом месте Филька остановился, потому что не знал, какой именно подвиг ему ~~совершать~~ / **совершить**.

1. Филька Хитров стал **добиваться** / **добиться** сердца Ани.

2. Так **продолжалось** / **продолжилось**, наверное, с месяц.

3. От несчастной любви Филька даже мороженое перестал **съесть** / **есть** и **худел** / **похудел** на полкилограмма.

4. Вообще-то я краску с кистью у забора **забывал** / **забыл**, и кто-то её, наверное, нашёл, — признался Филька.

3. Выберите правильный вариант употребления глаголов движения с приставками, неправильный вариант зачеркните.

Образец: Она **проходила** / ~~отходила~~ мимо, даже не глядя в его сторону, и только гордым движением головы отбрасывала назад длинные волосы.

1. Филька **отбежал / вбежал** в класс с высоко поднятой над головой шваброй: он гнался за Антоном Даниловым, бросившим в него мокрой тряпкой.

2. Она важно **подошла / прошла** мимо него и, посмотрев из-под длинных ресниц на Фильку, вышла в коридор, а Хитров остался в классе.

3. Филька **прошёл / пришёл** домой, вытащил толстый ежедневник, в котором он обычно записывал все свои дела, и на завтрашнем числе написал: «Совершить подвиг».

4. Тогда он **подошёл / дошёл** к полке, снял с неё энциклопедию для школьников, нашёл в ней статью «Подвиг» и стал читать.

5. На другой день, когда Аня вошла в класс, к ней **подошёл / дошёл** толстяк Петька Мокренко.

6. А ну **пройди / отойди** от неё или будешь иметь дело со мной!

7. Он встал и, повернувшись спиной, **пошёл / подошёл** к автобусной остановке.

8. Хочешь **зайти / пройти** к нам в гости?

4. Выберите правильный вариант употребления союза, союзного слова, неправильный вариант зачеркните.

Образец: Он увидел, **что / чтобы** Аня крепко держит овчарку за загривок, а пёс поджал уши и виновато виляет хвостом.

1. Вначале он писал ей записки, на которые она не отвечала, а потом пообещал, **что / чтобы** будет давать ей списывать на контрольных.

2. Много способов перепробовал Филька, **что / чтобы** понравиться Ане.

3. На этом месте Филька остановился, **когда** / **потому что** не знал, какой именно подвиг ему совершить.

4. На другой день, **когда** / **если** Аня вошла в класс, к ней подошёл толстяк Петька Мокренко.

5. Заполните пропуски в тексте. Выберите нужное слово.

После школы, уже не надеясь совершить ... и этим обратить на себя её ..., Филька всё же пошёл провожать Аню. Он шёл рядом и молчал. Иванова же вообще смотрела в другую ..., будто была одна. Только один раз она взглянула на Фильку и хихикнула.

Они уже подходили к Анькиному дому, как вдруг услышали сзади громкий ... . Филька увидел, как, выскочив из-за угла дома, к ним большими прыжками мчится огромная чёрная немецкая ... . «Наверное, у кого-то с ... сорвалась», — подумал Филька. Ему стало страшно. Первой его мыслью было вскочить в любой ..., но он вспомнил, что рядом с ним Аня.

Слова для справок: внимание, лай, овчарка, подвиг, подъезд, сторона, цепь.

6. Выберите правильный вариант употребления местоимения, неправильный вариант зачеркните.

Образец: Но тут ~~кто-нибудь~~ / кто-то схватил собаку и оттащил её.

1. Дедушка, ты в **кое-кого** / **когда-нибудь** влюблялся? — спросил Хитров-младший.

2. Вообще-то я краску с кистью у забора забыл, и **кое-кто** / **кто-то** её, наверное, нашёл, — признался Филька.

3. Кому говорю! — **чья-то / чья-нибудь** рука легла Мокренко на плечо.

4. «Наверное, у **кого-то / кое у кого** с цепи сорвалась», — подумал Филька.

7. Подберите синонимы к словам.

Образец: Хлопнуть = ударить

Дурацкий = ...

Мокрый = ...

Умный = ...

Кинуть = ...

Мчаться = ...

Перевестись = ...

Слова для справок: влажный, мудрый, глупый, бросить, перейти, бежать.

8. Подберите антонимы к словам.

Образец: Громкий ≠ тихий

Смелый ≠ ...

Равнодушный ≠ ...

Мокрый ≠ ...

Умный ≠ ...

Толстый ≠ ...

Длинный ≠ ...

Слова для справок: глупый, трусливый, отзывчивый, сухой, тонкий, короткий.

9. Подберите и запишите однокоренные слова.

Образец: Любовь — любить, любимый

Дурак — ...

Совет — ...

Защитник — ...

10. Составьте текст из следующих фраз.

Тогда он подошёл к полке, снял с неё энциклопедию для школьников, нашёл в ней статью «Подвиг» и стал читать.

На этом месте Филька остановился, потому что не знал, какой именно подвиг ему совершить.

Филька пришёл домой, вытащил толстый ежедневник, в котором он обычно записывал все свои дела, и на завтрашнем числе написал: «Совершить подвиг».

11. Прочитайте план текста и продолжите его. Перескажите рассказ по плану.

1. В классе Фильки Хитрова появилась новая девочка Аня Иванова.

2. Филька влюбился в Аню с первого взгляда и пытался разными способами обратить на себя внимание.

3. Аня не обращала на Фильку внимания, и тогда Филька решил посоветоваться со своим умным дедушкой.

4. ...

5. ...

6. ...

12. Расскажите эту историю от лица Ани Ивановой; дедушки Фильки; друзей Фильки.

13. Давайте обсудим.

1. Что такое любовь с первого взгляда?

2. Расскажите о своей первой школьной любви.

3. Оцените способы, с помощью которых влюблённый Филька старался привлечь к себе внимание Ани.

4. Оцените совет, который дедушка дал своему внуку.

5. Как вы думаете, Филька и Аня подружатся? Выскажите свои предположения.

Контрольные матрицы

Ужасная ночь

1	А	**Б**	В
2	А	**Б**	В
3	**А**	Б	В
4	А	Б	**В**
5	А	Б	**В**
6	**А**	Б	В
7	А	Б	**В**
8	**А**	Б	В

Дрессировщик

1	А	**Б**	В
2	А	Б	**В**
3	**А**	Б	В
4	А	Б	**В**
5	А	**Б**	В
6	А	Б	**В**

Волчонок

1	А	**Б**	В
2	А	**Б**	В
3	А	Б	**В**
4	А	Б	**В**
5	А	**Б**	В
6	**А**	Б	В
7	А	Б	**В**
8	**А**	Б	В

Новогоднее фото

1	А	Б	**В**
2	**А**	Б	В
3	А	Б	**В**
4	А	**Б**	В
5	А	Б	**В**
6	**А**	Б	В

В лифте

1	А	Б	**В**
2	А	**Б**	В
3	А	**Б**	В
4	А	Б	**В**
5	**А**	Б	В
6	**А**	Б	В
7	А	**Б**	В
8	**А**	Б	В

Жил-был Онегин

1	А	**Б**	В
2	**А**	Б	В
3	А	Б	**В**
4	А	Б	**В**
5	А	**Б**	В
6	А	**Б**	В

Подвиг во имя любви

1	А	Б	**В**
2	А	Б	**В**
3	**А**	Б	В
4	А	**Б**	В
5	**А**	Б	В
6	А	Б	**В**
7	А	**Б**	В
8	А	**Б**	В

Учебное издание

Емец Дмитрий

ПОДВИГ ВО ИМЯ ЛЮБВИ

Книга для чтения с заданиями
для изучающих русский язык как иностранный

Редактор *Н.А. Еремина*
Корректор *О.Ч. Кохановская*
Вёрстка *А.В. Лучанская*

Подписано в печать 08.11.2017. Формат 60×90/16
Объем 8,5 п.л. Тираж 500 экз. Зак. 14194

Издательство ООО «Русский язык». Курсы
125047, Москва, 1-я Тверская-Ямская ул., д. 18
Тел./факс: +7(499) 251-08-45, тел.: +7(499) 250-48-68
e-mail: russky_yazyk@mail.ru; rkursy@gmail.com; ruskursy@gmail.com
www.rus-lang.ru

Отпечатано с готового оригинал-макета издательства
в типографии ООО «Паблит»
Адрес: 127282, г. Москва, ул. Полярная, 31В, стр.1. Тел. (495) 230-20-52

The Thirty-Nine Steps
Steps

Greenmantle

THE THIRTY-NINE STEPS
STEPS

GREENMANTLE

John Buchan

Afterword by Brian Stableford

THE WORLD'S BEST READING
The Reader's Digest Association Limited, London

The Thirty-Nine Steps • Greenmantle

This Reader's Digest Edition contains the complete text of John Buchan's *The Thirty-Nine Steps*, first published in 1915, and *Greenmantle*, first published in 1916.

Illustrations for *The Thirty-Nine Steps* by Will Nickless, courtesy of British Library, and for *Greenmantle* by L.B. Black, courtesy of British Library.

Printed in the United States of America by R. R. Donnelly & Sons Company.

The Thirty-Nine Steps

With illustrations by Will Nickless

TO
THOMAS ARTHUR NELSON
(LOTHIAN AND BORDER HORSE)

My dear Tommy,

You and I have long cherished an affection for that elementary type of tale which Americans call the "dime novel" and which we know as the "shocker"—the romance where the incidents defy the probabilities, and march just inside the borders of the possible. During an illness last winter I exhausted my store of those aids to cheerfulness, and was driven to write one for myself. This little volume is the result, and I should like to put your name on it in memory of our long friendship, in the days when the wildest fictions are so much less improbable than the facts.

J.B.